A2
MÉTHODE
DE FRANÇAIS

Cahier d'activités

CLAIRE SANCHEZ

CLE
INTERNATIONAL

Crédits iconographiques

Direction éditoriale : Béatrice Rego
Marketing : Thierry Lucas
Édition : Noëlle Rollet
Conception maquette : Dagmar Stahringer
Conception graphique et mise en pages : AMG
Couverture : Miz'enpage
Enregistrements : Quali'sons

© CLE International 2018
ISBN : 978-2-09- 038971-5

SOMMAIRE

Unité 1 > BIENVENUE

Unité 1 ▶ 1. Faisons connaissance

Compréhension de l'oral 01

1 ▶ Cochez la bonne réponse.

a. **Vrai ou faux ?**

	Vrai	Faux
1. Thomas est un nouvel élève.	☐	☐
2. Thomas est en première.	☐	☐
3. Mickaël a un groupe d'amis.	☐	☐

b. **Qui est Nicolas ?**
1. Un intellectuel. ☐
2. Un garçon bavard. ☐
3. Un lycéen timide. ☐

c. **Quel est le caractère d'Emma ?**
1. Elle est bavarde. ☐
2. Elle est sérieuse. ☐
3. Elle est timide. ☐

2 ▶ Répondez aux questions suivantes.

a. En quelle classe est Mickaël ? ....
b. Quel est le défaut de Mickaël ? ....

Lexique

3 ▶ Complétez les textes avec les mots de la liste.

rêveur – intellectuelle – timide – bavard – paresseux

Voilà Constance ! C'est une fille très gentille mais elle est un peu ....timide...., elle ne parle pas facilement avec les autres

Là, c'est moi ! Je ne suis pas très concentré. Je suis toujours dans mes pensées... Je suis ....rêveur....

C'est Virginie ! C'est une très bonne élève : elle a toujours de bons résultats ! C'est l'....intellectuelle....!

C'est Fred : il est sympa et il parle toujours beaucoup ! C'est un garçon très ....bavard....

Là, c'est Martin ! Il adore rigoler mais il n'aime pas travailler... Il préfère se reposer... Il est un peu ....paresseux....

4 ▶ Associez les définitions et les noms des matières.

a. Vous étudiez cette langue, c'est la « langue de Molière ».
b. C'est le cours sur le corps humain, la nature, les animaux.
c. On fait du football, de la gymnastique ou de la natation.
d. On parle la « langue de Shakespeare » dans de nombreux pays.
e. Je découvre les pays, les climats.

1. Le français.
2. La géographie.
3. L'anglais.
4. Les SVT.
5. L'EPS.

Grammaire

 5 Voici le bulletin scolaire d'Arthur. Sa sœur jumelle, Stéphanie, a les mêmes résultats. Complétez les appréciations de Stéphanie. Accordez les adjectifs.

	Notes	Appréciations des professeurs
Français	17/20	Arthur est très sérieux ! Très bien !
Anglais	12/20	Dommage : Arthur est trop timide !
Mathématiques	14/20	Bravo ! Arthur est intelligent !
Histoire-géographie	08/20	Attention : Arthur est trop rêveur !
SVT	11/20	Arthur est trop bavard !
Physique-chimie	09/20	Arthur n'est pas concentré !
EPS	10/20	Élève un peu paresseux...

a. *Français :* Stéphanie est ....

b. *Anglais :* Dommage : Stéphanie est ....

c. *Mathématiques :* Bravo ! ....

d. *Histoire-géographie :* Attention : ....

e. *SVT :* ....

f. *Physique-chimie :* ....

g. *EPS :* ....

Compréhension des écrits

 6 Lisez le mail d'Alexis.

Salut Théo !

Quoi de neuf ? Moi, je vais dans un nouveau lycée et il est super ! C'est un lycée très moderne :
il y a un super équipement informatique, les salles sont petites mais elles sont agréables et lumineuses !
Il y a aussi une grande bibliothèque.

Dans ma classe, il y a des élèves très différents : il y a des bavards comme Eddie, Thibaut et Alice,
mais il y a aussi des filles très sérieuses (Ariane et Jasmine par exemple) et un intello (Benjamin) !

Et toi ? Ta classe est comment ?

À plus !

Alexis

a. **Vrai ou faux ? Cochez la bonne réponse.**

	Vrai	Faux
1. Alexis va dans un nouveau lycée.	☐	☐
2. Son lycée est très ancien.	☐	☐
3. Tous les élèves de sa classe sont pareils.	☐	☐

b. **Quel est le caractère d'Alice ?** ....

c. **Qu'est-ce qu'il y a dans le lycée d'Alexis ? Cochez les bonnes réponses.**

1. Une grande bibliothèque.	☐
2. De grandes salles de cours.	☐
3. Du matériel informatique.	☐

d. **Qui est l'intellectuel de la classe ?** ....

Production écrite

7 Vous écrivez un mail à votre ami Anthony. Vous vous présentez et vous faites votre portrait.

Compréhension de l'oral

1 **Écoutez et cochez la ou les bonnes réponses.**

a. **Vrai ou faux ?**

	Vrai	Faux
1. Maya est chanteuse.	☐	☐
2. Maya est danseuse.	☐	☐
3. Maya est française.	☐	☐
4. Maya habite en France.	☐	☐

c. **Maya et sa famille ont quels animaux de compagnie ?**

1. Chien.	☐	4. Cochon.	☐
2. Chat.	☐	5. Lapin	☐
3. Tortue.	☐		

b. **Maya a-t-elle des frères et sœurs ?**
1. Non, elle est fille unique. ☐
2. Oui, elle a un grand frère et une petite sœur. ☐
3. Oui, elle a une grande sœur et un petit frère. ☐

2 **Quelle est la profession du père de Maya ?** ....

Grammaire

3 **Conjuguez les verbes au présent.**

a. Ma maison .... (se trouver) à côté du lycée.
b. Le matin, mon frère et ma sœur .... (se préparer) et vont au lycée.
c. Les stars voient des photographes, elles .... (se cacher) !
d. Mickaël .... (se moquer) de sa sœur.
e. Ces deux stars .... (se marier) bientôt.

Lexique

4 **Regardez l'arbre généalogique de Quentin. Complétez avec les noms des membres de la famille.**

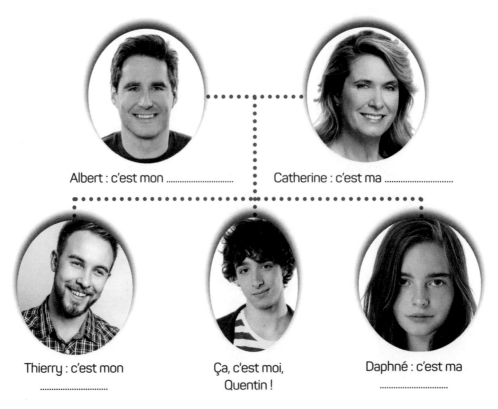

Albert : c'est mon ....

Catherine : c'est ma ....

Thierry : c'est mon
....

Ça, c'est moi,
Quentin !

Daphné : c'est ma
....

5 C'est quel animal ? Lisez les descriptions et retrouvez le nom des animaux.

Il a quatre pattes.
Il est grand, petit ou gros.
Il garde la maison.
a. ....

C'est un petit animal.
Il peut être sauvage ou domestique.
Il dort beaucoup.
Il chasse les oiseaux, les souris...
b. ....

C'est un animal très intelligent et agile. Il ressemble à l'homme. Il vit dans les arbres, surtout en Amérique du Sud, en Afrique et en Asie
c. ....

C'est un animal très lent.
Il porte sa maison sur son dos.
Il peut vivre 50 ou 60 ans !
d. ....

Il a quatre pattes et de grandes oreilles. Il mange des légumes et des herbes. Il est très rapide.
e. ....

Il a quatre pattes. Il est rose.
Il mange de tout.
f. ....

Compréhension des écrits

6 Vous allez sur le site d'Adam.

ADAM : BLOG

Salut ! Je m'appelle Adam, j'ai 17 ans et j'habite à Toulouse.
Je suis lycéen, je fais de la musique et j'aime beaucoup les animaux.
Voici mon univers...

Avec ma famille, en Bretagne.

Mes meilleurs amis ! David, Mélanie, Célia et Léo

Il s'appelle Youpi : il est très joyeux !

Pendant un cours de guitare.

Il est nouveau dans la famille !

Mon lycée à Toulouse

a. **Vrai ou faux ?**

	Vrai	Faux.
1. Adam habite en Bretagne.	☐	☐
2. Adam est lycéen.	☐	☐
3. Adam aime les animaux.	☐	☐

b. **Adam... :**
1. est fils unique. ☐
2. a un frère. ☐
3. a une grande famille. ☐

c. **De quel instrument joue Adam ?**
....

d. **Pour Adam, qui est Célia ?**
1. Sa mère. ☐
2. Sa sœur. ☐
3. Son amie. ☐

e. **Quels animaux de compagnie a Adam ?**
1. Un chat. ☐
2. Un chien. ☐
3. Un lapin. ☐
4. Un cochon. ☐
5. Une tortue. ☐

Production écrite

7 Faites le portrait d'une personne de votre famille.

....
....
....
....
....
....

Compréhension de l'oral

1 ▶ Écoutez et cochez la bonne réponse.

a. Vrai ou faux ?

	Vrai	Faux
1. Sofia a 18 ans.	☐	☐
2. Sofia aime le centre-ville.	☐	☐
3. Antonio aime aller au centre commercial.	☐	☐
4. Antonio est lycéen.	☐	☐

b. Sofia préfère quel quartier ?

1. Les terrasse du centre-ville. ☐
2. Le quartier historique de la ville. ☐
3. Le centre commercial. ☐

c. Pourquoi Antonio n'aime pas faire du shopping en centre-ville ?

1. Il y a trop de voitures. ☐
2. Il y a trop de touristes. ☐
3. Il y a trop de bruit. ☐

2 ▶ Antonio préfère quel lieu ? ....

Lexique

3 ▶ Retrouvez les mots écrits sous les photos.

LE C _ _ _ _ E - V _ _ _ E   LE P _ _ T   LE C _ _ _ _ E C _ _ _ E _ _ _ _ L

4 ▶ Associez les débuts et les fins de phrases.

a. Je	1. vient de s'installer à Nice.
b. Romain	2. venez d'arriver dans cette ville.
c. Nous	3. viens de rentrer chez moi.
d. Vous	4. viennent de visiter le centre-ville..
e. Fred et Chris	5. venons de découvrir ce centre commercial.

Grammaire

5 Transformez comme dans l'exemple.

Exemple : **Nous allons à + le cinéma.** → **Nous allons au cinéma.**

a. J'arrive bientôt à + le restaurant.

→ ....

b. Les élèves restent à + la bibliothèque pour étudier.

→ ....

c. Vous vous rendez à + les événements culturels de votre ville.

→ ....

d. J'attends mes amis à + l'entrée du lycée.

→ ....

Compréhension des écrits

6 Vous allez sur le forum Ado Blabla.

FORUM ADO BLABLA   Facebook Twitter

Votre avis sur... BORDEAUX

L'avis de Mathias :

« *Je viens de m'installer à Bordeaux et j'aime bien cette ville !* »

Les avantages de Bordeaux : C'est vraiment une très belle ville ! J'habite dans le quartier Caudéran. C'est joli mais je préfère le centre-ville : c'est très animé ! Il y a des centres commerciaux et aussi un super cinéma ! J'adore le quartier de Saint-Pierre et ses cafés ! Il y a aussi de bons restaurants et beaucoup de magasins, c'est bien pour faire du shopping et sortir avec des amis le week-end ! Enfin, les jardins et les parcs sont très agréables aussi. Je cours le dimanche matin avec ma sœur dans le parc Bordelais : c'est très sympa !

Les inconvénients de Bordeaux : La vie est un peu chère à Bordeaux, c'est dommage ! En plus, il y a beaucoup de voitures et de problèmes de circulation. Je déteste ça ! Je n'aime pas le climat à Bordeaux : il fait trop froid pour moi ! Je préfère le climat de Toulouse, ma ville d'origine...

a. **Vrai ou faux ?**

	Vrai	Faux
1. Mathias habite à Bordeaux.	☐	☐
2. Mathias déteste Bordeaux.	☐	☐
3. Mathias habite dans le quartier Saint-Pierre.	☐	☐

c. **Quels sont les défauts de Bordeaux pour Mathias ?**

....

b. **Qu'est-ce que Mathias aime à Bordeaux ?**

1. Les magasins. ☐
2. Le cinéma. ☐
3. La bibliothèque. ☐
4. Les parcs. ☐
5. Le port. ☐

d. **Quelle est la ville d'origine de Mathias ?**

1. Paris. ☐   2. Bordeaux. ☐   3. Toulouse. ☐

Production écrite

7 Comme Mathias, vous présentez votre ville (ou votre quartier). Vous donnez les avantages et les inconvénients.

....

....

....

....

....

....

4. Participons à des événements

Compréhension de l'oral 🎧 04

1 Écoutez et cochez la bonne réponse.

a. **Vrai ou faux**

	Vrai	Faux
1. Il y a un grand marché de Noël à Strasbourg chaque année.	☐	☐
2. La ville accueille plus de 3 000 stands.	☐	☐
3. Des gens viennent du monde entier.	☐	☐

b. **Les stands sont placés où ?**
1. Dans le parc de l'Alsace. ☐
2. Sur la place de la Cathédrale. ☐
3. Sur la place de l'Europe ☐

c. **Qu'est-ce qu'on peut manger à cette occasion ?**
1. Des crêpes traditionnelles. ☐
2. De la soupe alsacienne. ☐
3. Des biscuits épicés. ☐

2 Répondez aux questions.

a. Le marché de Noël est ouvert combien de temps ? ....

b. Les animations ont lieu de quelle heure à quelle heure ? ....

Lexique

3 Complétez le texte avec les mots de la liste.

du ... au ... – chaque – de... à... – durant

.... année, la ville de Dunkerque organise un carnaval .... trois mois : parades, bals, concerts... Tous les week-ends, ... 13 janvier .... 3 mars, les enfants et les adultes se déguisent et défilent dans les rues de la ville au milieu de mannequins géants traditionnels .... 14 h .... 20 h.

Grammaire

4 Mettez les noms et les adjectifs au pluriel comme dans l'exemple.

Exemple : **une décoration typique** → **des décorations typiques**

a. un gâteau traditionnel → ....
b. un biscuit épicé → ....
c. un produit local → ....
d. un touriste étranger → ....

5 Qu'est-ce que Lucie va faire ce week-end ? Mettez ses phrases au futur proche.

« Ce week-end, j'assiste au festival de l'Ouest ! Je vois le concert de Maya Dali. Je prends un cours de danse urbaine et je rencontre mes danseurs préférés ! Je goûte aux spécialités locales · les crêpes et les galettes ! »

Ce week-end, Lucie va ....

....

....

Compréhension des écrits

6 Lisez le document. Répondez aux questions.

DIJON : L'EXPO CHOCO, LA 3ᵉ ÉDITION !

Les 3 et 4 mars

Un événement pour tous les gourmands !

Entrée : 2 € seulement !

Samedi à 15 h :
Documentaire *La Grande Histoire du chocolat* (1 heure) suivi d'une conférence sur les adolescents et le chocolat (1 heure 30 environ)

Démonstrations de 18 h à 20 h – des chefs réalisent leurs recettes sous vos yeux !

Dimanche :
Exposition : des sculptures en chocolat ! Des œuvres à admirer... et à savourer ! (de 14 h à 18 h)

Concours du meilleur dessert au chocolat : une compétition gourmande entre de jeunes pâtissiers du pays ! (à 15 h 30)

Dégustation : mille et un chocolats ! Découvrez les différents types de chocolats, du plus classique au plus original ! (de 17 h à 18 h 30)

a. **Vrai ou faux ?**

	Vrai	Faux
1. L'expo choco a lieu à Noël.	☐	☐
2. L'expo choco a lieu à Dijon.	☐	☐
3. C'est la 1ʳᵉ expo choco.	☐	☐

b. **Combien coûte l'entrée ?**

....

c. **Combien de temps dure l'expo choco ?**
1. 1 journée. ☐
2. 1 week-end. ☐
3. 1 mois. ☐

d. **Qu'est-ce qu'on peut faire pendant cet événement ?**
1. Manger du chocolat. ☐
2. Apprendre des choses sur le chocolat. ☐
3. Acheter du chocolat. ☐
4. Rencontrer des chefs. ☐
5. Cuisiner avec des chefs. ☐

Production écrite

7 Vous allez participer à un événement culturel. Vous écrivez à un ami pour lui raconter le programme. Aidez-vous des éléments fournis.

....
....
....
....
....
....

1 Chloé veut connaître les élèves de sa classe. Elle prépare un questionnaire.
Complétez le questionnaire avec les adjectifs interrogatifs : *quel, quelle, quels, quelles*.

Questionnaire

▶ ....
est ton prénom ?

▶ ....
est ta plus grande qualité ?

▶ ....
est ton principal défaut ?

▶ ....
sont tes matières préférées
au lycée ?

▶ ....
sont tes loisirs ?

2 Complétez les phrases avec les pronoms toniques *moi, toi, lui, nous, vous, eux.*

a. Je suis élève au lycée Louis Aragon, à Lyon. Et .... ? Tu vas à quel lycée ?
b. Nous oublions toujours nos affaires. Et .... ? Quel est votre principal défaut ?
c. Sophie est rêveuse. Lucas, ..., est très bavard.
d. ...., je m'appelle Mickaël.
e. Arthur et Stéphanie, ..., sont dans la même classe.
f. ...., notre matière préférée, c'est le français !

3 Complétez avec les bons adjectifs possessifs.

.... famille et moi

J'habite avec .... parents et .... frère Jonathan à Nantes. Nous vivons dans un appartement dans le centre-ville. .... appartement est grand, c'est très sympa ! Jonathan est sérieux et .... passion, c'est les jeux vidéo ! Moi, je préfère jouer avec .... deux chats, Kiwi et Malicia. .... mère est nerveuse : elle me dit tout le temps : « N'oublie pas .... devoirs pour le lycée ! » Quand Jonathan et moi ne rangeons pas .... affaires, maman nous dit : « Rangez .... chambres ! » Heureusement, ... père est très calme. En plus, il adore les animaux, comme moi !

4 Associez les débuts et les fins de phrases.

a. Laura
b. Je
c. Vous
d. Tu
e. Nous

1. t'installes en terrasse.
2. nous promenons dans le centre-ville.
3. se rend à la braderie de Lille.
4. vous excusez de votre retard.
5. me repose chez moi.

5 Passé récent ou futur proche ? Cochez la bonne réponse.

	Passé récent	Futur proche
a. Je viens d'emménager dans cette ville.	☐	☐
b. Seb va présenter sa copine à sa famille.	☐	☐
c. Attention ! Tu vas être en retard !	☐	☐
d. Nous venons de rencontrer une star !	☐	☐
e. Louisa et Hamza vont se rendre à un festival.	☐	☐

6 Entourez le bon article.

a. Quand je vais   à l' / au   centre commercial, il y a toujours beaucoup de circulation !
b. Tu viens de rentrer   de la / de l'   expo choco !
c. Nous allons participer   à l' / à la   parade du carnaval de Dunkerque.
d. Jonathan vient de donner à manger   à l' / aux   chats.
e. J'ai envie d'aller   à la / au / aux   marché de Noël de Strasbourg.

7 Remplacez les mots en gras par les mots entre parenthèses. Faites les accords.

a. **La ville** (les villes) est jolie mais bruyante.
→ ....

b. J'ai **un frère** (des frères) intelligent mais très timide.
→ ....

c. **Notre voisin** (nos voisins) est très amical
→ ....

d. **Le chat** (les chats) est un animal calme et paresseux.
→ ....

e. J'achète **une spécialité** (des spécialités) locale.
→ ....

f. Vous lisez **le journal** (les journaux) national ?
→ ....

8 Complétez les phrases avec les bons adjectifs possessifs.

– Tu habites avec .... famille ?
– Oui, j'habite avec .... parents et .... frère.
– Vous habitez où ?
– Nous habitons à Marseille, dans le sud de la France. .... maison est près de la mer.
– Vous avez des animaux ?
– Oui, nous avons un chat, Pacha.
– Pourquoi il s'appelle Pacha ?
– C'est à cause de .... caractère : il est très paresseux !

9 Les adjectifs des phrases suivantes sont au masculin singulier. Faits les accords.

a. Ta .... Maria est une lycéenne .... (intelligent) mais un peu .... (étourdi).
b. Alex et Théo sont .... (désolé) d'être en retard.
c. Le français est une langue .... (difficile) !
d. Je déteste ces salles de cours : elles sont beaucoup trop .... (petit) !
e. Paris est ma ville .... (préféré).

La phrase et l'intonation

1 **Écoutez. La voix monte ou descend ? Cochez la bonne case.** 🎧 05

	Intonation montante ↗	Intonation descendante ↘
a.	X	
b.		
c.		
d.		
e.		

2 **Écoutez. Vous entendez les phrases dans quel ordre ?** 🎧 06

a. Tu aimes les maths. → Phrase n° 5
b. Tu aimes les maths ? → Phrase n° ......
c. Tu habites dans le centre-ville. → Phrase n° ......
d. Tu habites dans le centre-ville ? → Phrase n° ......
e. Tu viens d'arriver. → Phrase n° ......
f. Tu viens d'arriver ? → Phrase n° ......

3 **Écoutez et répétez. Les phrases sont des déclarations ou des questions ? Cochez la bonne réponse.** 🎧 07

	Déclaration	Question
a.	☐	☐
b.	☐	☐
c.	☐	☐
d.	☐	☐
e.	☐	☐
f.	☐	☐

4 **Lisez les phrases. Écoutez et répétez avec la bonne intonation** 🎧 08

a. Cette star habite en France.
b. Tu préfères les chiens ?
c. Victor va voir un match.
d. Je suis en retard ?
e. Je suis désolé.
f. C'est un acteur américain ?

5 **Écoutez. Écrivez les phrases et utilisez la bonne ponctuation : point ou point d'interrogation.** 🎧 09

a. .... d. ....
b. .... e. ....
c. .... f. ....

6 **Lisez le dialogue, écoutez et jouez-le à deux avec la bonne intonation.** 🎧 10

– Vous êtes français ?
– Non, je suis belge.
– Vous êtes lycéen ?
– Oui, je suis en terminale.
– Quelle est votre matière préférée ?

– Le français.
– Vous avez des frères et sœurs ?
– J'ai un frère.
– Vous avez un animal de compagnie ?
– Oui, j'ai un chien.

Lexique

 1 Retrouvez le lexique de l'unité 1 dans la grille. Les mots sont cachés horizontalement (→),
de gauche à droite.

G	É	O	G	R	A	P	H	I	E	D	D	E	N
E	H	A	M	U	D	I	G	Z	I	U	R	T	O
B	O	N	S	M	I	F	O	G	O	U	É	S	J
U	R	M	Q	O	E	R	Q	O	L	S	G	Q	J
N	O	Z	K	C	J	U	R	P	T	E	É	A	V
W	U	Y	E	H	X	I	U	V	H	Y	Y	U	I
H	G	E	O	H	I	S	T	O	I	R	E	J	P
M	A	T	H	É	M	A	T	I	Q	U	E	S	O
C	H	I	M	I	E	X	A	H	L	Z	G	E	F
O	N	E	I	H	F	R	A	N	Ç	A	I	S	Y
A	S	F	U	W	A	N	G	L	A	I	S	U	Z
C	S	Y	K	A	N	J	I	M	S	P	O	R	T
J	A	U	U	H	U	O	G	E	T	A	B	K	P
F	H	N	A	Z	P	H	Y	S	I	Q	U	E	I

2 Complétez le texte avec les mots de la liste.

de... à... – les – non stop – chaque – durant – du... au...

MAGASIN PROMAG

Notre magasin est ouvert .... jour, ...
lundi .... dimanche, ... 9 h ....
18 h ! Profitez de nos offres exceptionnelles
.... le week-end spécial rentrée scolaire,
.... 7, 8 et 9 septembre ! Et n'oubliez pas :
sur notre site *promag.fr*, il y a de bonnes affaires
.... !

3 Complétez le dialogue avec les mots de la liste.

sympa – déteste – adore – dommage – centre-ville – préfère

– Alors, tu viens de t'installer à Nice. Tu aimes bien ?

– Oui, c'est vraiment très joli, j'... !

– Tu connais le quartier des Musiciens ?

– Oui, bien sûr ! C'est dans le .... !

– Et le vieux Nice ? C'est très .... : il y a beaucoup de jeunes et c'est à côté de la mer.

– C'est vrai, mais l'inconvénient, c'est qu'il y a trop de bruit la nuit !

– Oui, c'est ....

– Je .... le calme du quartier Sainte-Marguerite.

– Oh là là ! Moi, je .... ! Il n'y a pas cinéma, il n'y a pas de magasin... Et il n'y a pas de jeune !

Lire et comprendre un texte court

 Je prépare ma lecture.

D'abord, vous devez regarder ce qu'il y a *autour du* texte. Aidez-vous de la présentation générale du texte.

Posez-vous les questions : « Est-ce qu'il y a une signature ? Une date ? Un lieu ? Un titre ? »

Identifiez la catégorie du document suivant et cherchez les noms, la date, les lieux. Les questions peuvent vous aider à comprendre le texte. Lisez-les avant de lire le texte !

Salut Mélanie !
Comment ça va ? Je suis à Marseille chez ma cousine. Il fait très beau et chaud, c'est vraiment super !
Demain, nous allons nous promener près du port.
Passe un bon été.
Bises !
Lisa

Mélanie Goya
65 rue des Roses
44000 Nantes

a. Quel est ce type de document ?
   Un mail. ☐   Une carte postale. ☐
   Un article de presse. ☐
b. Qui écrit ? ....
c. Elle écrit à qui ? ....
d. Elle est où ? ....

 Je lis le titre et le sous-titre.

Avant de lire le texte en couleur, cherchez les informations et mémorisez-les.

a. Le texte va parler d'un lieu : lequel ?.........................
b. Le texte va parler d'un événement culturel : lequel ?..........
....

Le journal des Parisiens
Sortir à Paris : le festival du cinéma en plein air !

C'est l'été à Paris : c'est la période du festival du cinéma en plein air ! Au programme : des courts-métrages et des chefs-d'œuvre de l'histoire du cinéma. Quel plaisir de pouvoir s'installer sur l'herbe ou bien confortablement sur un transat pour profiter de séances de cinéma gratuites sous les étoiles ! À vos agendas ! Cette année, le festival commence le 20 juillet ! Alors, rendez-vous à tous les cinéphiles au parc de La Villette à partir de 22 h durant toute la semaine !

 Je trouve les mots importants.

Les mots importants sont répétés plusieurs fois dans le texte.

Lisez les questions suivantes, puis entourez les réponses dans le texte de l'exercice 2. Répondez ensuite aux questions. Ne vous arrêtez pas quand vous ne comprenez pas un mot !

a. À quelle saison le festival a lieu ? ....
b. Le festival a lieu où exactement ? ....
c. Il commence quand ? ....

 Je lis plusieurs fois.

Il faut souvent plusieurs lectures : on vérifie (est-ce qu'on a bien compris ?) et on mémorise les informations.

1re lecture : lisez et répondez aux questions a. à c.

2e lecture : relisez et vérifiez vos réponses. Répondez aux questions d. à f.

a. Quel est le type de document ? ....
b. Qui écrit ? ....
c. À qui ? ....
d. Pour quoi elle écrit ? Cochez la bonne réponse.
   1. Pour avoir une information. ☐
   2. Pour donner de ses nouvelles. ☐
   3. Pour dire qu'il y a un problème. ☐
e. Elle est en quelle classe ? ....
f. Comment s'appelle son amie ?..................................

De : nicolas.lafitte@gmail.com
À : Des nouvelles !

Salut Nicolas !

Alors, comment ça va ?

Ça y est, je suis en terminale ! J'ai beaucoup d'heures de cours, c'est difficile… Notre prof de français est Mme Grondin. Elle est petite et très gentille.

Ma copine Jessica est dans ma classe. Tu te rappelles ? La pipelette !

Nous allons souvent nous promener dans le centre-ville de Toulouse après les cours. Le mois prochain, nous allons assister à une compétition d'e-sport avec Jessica. Ça va être sympa !

Et toi ? Quoi de neuf ? Comment va ta famille ? Et ton chien Caramel ?

Bisous,
Clara

Portfolio

	Oui	Pas complètement	Pas encore
Langue			
Je peux exprimer mes goûts et mes préférences.			
Je sais donner une date, un horaire.			
Je maîtrise l'utilisation du passé récent.			
J'arrive à utiliser le futur proche.			
J'arrive à comprendre un texte écrit court.			
Grammaire			
Je connais les pronoms interrogatifs.			
Je connais les pronoms toniques.			
Je sais utiliser les adjectifs possessifs.			
Je sais utiliser les adjectifs qualificatifs.			
Je connais les articles définis, indéfinis et contractés.			
Je connais la conjugaison des verbes pronominaux au présent.			
Lexique			
Je connais le lexique pour faire une description physique.			
Je peux décrire le caractère de quelqu'un.			
Je connais les noms des matières scolaires.			
Je connais les noms des membres de la famille.			
Je connais les noms de plusieurs animaux.			
Je connais les noms de plusieurs couleurs et formes.			
Je connais les noms de plusieurs lieux dans une ville.			
Phonétique			
Je distingue les intonations de la phrase affirmative et de la phrase interrogative.			
Je prononce correctement les affirmations et les interrogations.			
Civilisation			
Je connais plusieurs villes françaises.			
Je connais plusieurs événements culturels qui ont lieu en France.			

Entraînement au DELF A2

Compréhension de l'oral

Vous allez entendre 3 enregistrements, correspondant à 3 documents différents. Pour chaque document, vous aurez · 30 secondes pour lire les questions ; une première écoute, puis 30 secondes de pause pour commencer à répondre aux questions ; une seconde écoute, puis 30 secondes de pause pour compléter vos réponses. Répondez aux questions en cochant (X) la bonne réponse ou en écrivant l'information demandée.

Exercice 1 🎧 11

Lisez les questions. Écoutez le document puis répondez.

1. **À qui s'adresse ce message ?**
   a. À des parents. ☐
   b. À des élèves. ☐
   c. À des professeurs. ☐

2. **Qu'est-ce qu'*Un Prof chez moi* ?**
   a. Un film sur les lycéens en difficultés. ☐
   b. Un livre sur les enfants de professeurs. ☐
   c. Une entreprise de soutien scolaire. ☐

3. **Combien y a-t-il de professeurs ?**
   ....

4. **Quel est ce type de message ?**
   a. Une publicité. ☐
   b. Une information. ☐
   c. Un message personnel. ☐

5. **Quel est le numéro de téléphone donné ?**
   a. 01 67 99 54 31 ☐
   b. 01 66 98 54 31 ☐
   c. 01 76 89 54 31 ☐

Exercice 2 🎧 12

Lisez les questions. Écoutez le document puis répondez.

1. **Cochez la bonne réponse. Roxane laisse ce message parce que...**
   a. Tatiana a essayé d'appeler. ☐
   b. Tatiana a envoyé un SMS. ☐
   c. Tatiana a écrit une lettre. ☐

2. **Pourquoi Roxane refuse l'invitation de Tatiana ?**
   a. Roxane rend visite à Mélina. ☐
   b. c'est le mariage de Mélina. ☐
   c. c'est l'anniversaire de Mélina. ☐

3. **Qui est Mélina pour Roxane ?**
   ....

4. **Que propose Roxane à Tatiana ?**
   a. Venir chez elle. ☐
   b. Aller au restaurant. ☐
   c. Aller chez Mélina. ☐

5. **Quel animal est Pépito ?** ....

Exercice 3 🎧 13

Vous allez entendre 2 fois 4 dialogues, correspondant à 4 situations différentes. Lisez les situations. Écoutez puis reliez le dialogue et la situation.

Dialogue 1 •   • Donner une information.

Dialogue 2 •   • Exprimer ses goûts.

Dialogue 3 •   • Proposer une sortie.

Dialogue 4 •   • Faire une description.

Compréhension des écrits

Exercice 4

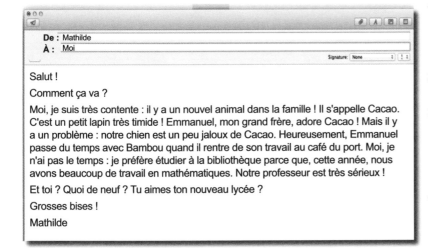

De : Mathilde
À : Moi

Signature: None

Salut !

Comment ça va ?

Moi, je suis très contente : il y a un nouvel animal dans la famille ! Il s'appelle Cacao. C'est un petit lapin très timide ! Emmanuel, mon grand frère, adore Cacao ! Mais il y a un problème : notre chien est un peu jaloux de Cacao. Heureusement, Emmanuel passe du temps avec Bambou quand il rentre de son travail au café du port. Moi, je n'ai pas le temps : je préfère étudier à la bibliothèque parce que, cette année, nous avons beaucoup de travail en mathématiques. Notre professeur est très sérieux !

Et toi ? Quoi de neuf ? Tu aimes ton nouveau lycée ?

Grosses bises !

Mathilde

1. **Quel est le caractère de Cacao ?**
   a. Jaloux. ☐
   b. Timide. ☐
   c. Câlin. ☐

2. **Quel type d'animal est Bambou ?**
   ....

3. **Quel est le problème avec Bambou ?**
   Cochez la bonne réponse.
   a. Il a peur de Cacao. ☐
   b. Il déteste Cacao. ☐
   c. Il est jaloux de Cacao. ☐

4. **Où Emmanuel travaille ?**
   ....

Exercice 5

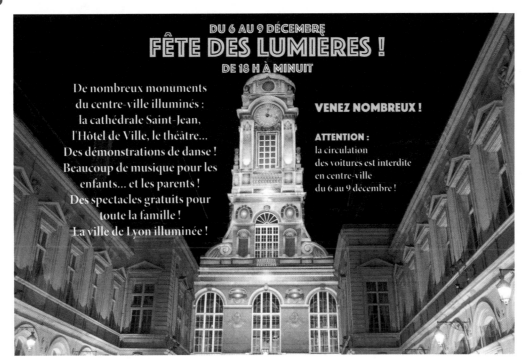

DU 6 AU 9 DÉCEMBRE
FÊTE DES LUMIÈRES !
DE 18 H À MINUIT

De nombreux monuments du centre-ville illuminés : la cathédrale Saint-Jean, l'Hôtel de Ville, le théâtre... Des démonstrations de danse ! Beaucoup de musique pour les enfants... et les parents ! Des spectacles gratuits pour toute la famille ! La ville de Lyon illuminée !

VENEZ NOMBREUX !

ATTENTION : la circulation des voitures est interdite en centre-ville du 6 au 9 décembre !

1. **Dans quelle ville a lieu cette fête ?** ....

2. **Dans quelle partie de la ville exactement ?**
   a. Près du port. ☐
   b. Dans les parcs. ☐
   c. Dans le centre-ville. ☐

3. **Qu'est-ce qu'on peut voir durant cette fête ?**
   a. Des spectacles de magie. ☐
   b. Des monuments illuminés. ☐
   c. Des pièces de théâtre. ☐

4. **Quand a lieu cette fête ?** ....

Production écrite

Exercice 6

Vous participez à un forum de lycéens francophones sur le thème « ma vie de lycéen ».
Présentez-vous, puis présentez votre famille et votre lycée. Parlez de votre ville et de vos habitudes. (60 mots minimum)

....
....
....
....
....
....

Production orale

Exercice 7

Entretien dirigé (1 minute 30 environ)

Après avoir salué votre examinateur, vous vous présentez (vous parlez de vous, de votre famille, de vos amis, de vos études, de vos goûts, des animaux que vous aimez, etc.)

Exercice 8

Monologue suivi (2 minutes environ)

Vous tirez au sort 2 sujets et vous en choisissez 1. Vous vous exprimez sur le sujet. L'examinateur peut ensuite vous poser des questions pour vous aider.

Sujet 1   *Les animaux de compagnie*
Est-ce que vous avez un animal de compagnie ? Lequel ? Pourquoi ? Est-ce qu'un animal de compagnie fait partie de la famille ?

Sujet 2   *La famille*
Présentez les membres de votre famille. Quels sont les caractères de chacun ? Est-ce que vous vous ressemblez ? Est-ce que vous vous entendez bien ?

Exercice 9

Exercice en interaction (3 à 4 minutes environ)

Vous tirez au sort 2 sujets et vous en choisissez 1. Vous devez simuler un dialogue avec l'examinateur afin de résoudre une situation de la vie quotidienne. Vous montrez que vous êtes capable de saluer et d'utiliser des règles de politesse.
Dans certains sujets, le genre masculin est utilisé pour alléger le texte. Vous pouvez naturellement adapter la situation en adoptant le genre féminin.

Sujet 1   *Un ami découvre la ville*
Vous avez un nouvel ami. Il ne connaît pas la ville. Vous lui présentez les quartiers et les différentes activités de la ville.

Sujet 2   *Présentation d'une star*
Vous êtes fan d'une star (de cinéma, de foot, etc.) et votre ami ne la connais pas. Vous présentez cette personnalité à votre ami, vous lui parlez de sa profession, de sa famille etc.

Unité 2 > BON VOYAGE

1. Partageons nos souvenirs de vacances

Compréhension de l'oral 🎧 14

1 Cochez la bonne réponse.

a. Carolina a visité Marseille...
1. seule. ☐
2. avec ses parents. ☐
3. avec une copine et sa famille. ☐
4. avec un guide. ☐

b. Quel plat a-t-elle choisi au restaurant ?
1. Une pizza. ☐
2. De la soupe. ☐
3. Des pâtes. ☐

c. Elle s'est promenée...
1. à vélo. ☐
2. à pied. ☐
3. en bus. ☐

d. Carolina est allée...
1. au port. ☐
2. à la plage. ☐
3. au musée. ☐

Lexique

2 Complétez les phrases avec les verbes de la liste.

parti – organisé – pique-niqué – visité – pris

a. Vous avez .... sur la plage.
b. Tu as .... beaucoup de photos.
c. Je suis .... en vacances l'été dernier.
d. Nous avons .... le musée des Beaux-Arts.
e. Anna a .... une sortie avec ses amies.

Grammaire

3 Mettez à la forme négative comme dans l'exemple.

Exemple : **Tu as aimé la bouillabaisse ?** → Non, je n'ai pas aimé la bouillabaisse.

a. Tu as vu les plages du Prado ? ....
b. Tu t'es baigné(e) ? ....
c. Vous êtes allés sur les îles du Frioul ? ....
d. Tu t'es promené(e) dans le jardin de la Magalone ? ....
e. Vous avez visité le château d'If ? ....

4 Classez les verbes de l'exercice 3. Aidez-vous de l'exemple.

Verbes conjugués avec l'auxiliaire avoir : *Tu as vu* ; ....
Verbes conjugués avec l'auxiliaire être : ....

Compréhension des écrits

5 Lisez le mail d'Andreas à Anthony et répondez.

Salut Anthony !
Comment ça va ?
Julie m'a invité à Nantes ! Je suis bien arrivé. C'est très sympa ! J'ai découvert la ville avec Julie : nous avons visité le château des ducs de Bretagne et nous avons pris le passage Pommeraye. Nous sommes aussi allés dans un centre culturel original : le *Lieu Unique*. Nous avons admiré une exposition et nous avons vu un super concert ! Julie a promis de m'emmener dans une crêperie de ce quartier demain. Hier, nous nous sommes promenés dans le Jardin des plantes mais nous n'avons pas pu pique-niquer : il a plu tout l'après-midi. ☹
À bientôt !
Andreas

a. Parmi les lieux suivants, où est-ce qu'Andreas est allé ?
1. La tour de Bretagne ☐
2. Le château des ducs de Bretagne. ☐
3. Le Jardin des plantes. ☐
4. Une crêperie. ☐

b. Il a visité quels autres lieux ?
....
....

c. **Vrai ou faux ?**

	Vrai	Faux
1. Julie a invité Andreas il y a une semaine.	☐	☐
2. Andreas et Julie sont allés en Bretagne.	☐	☐
3. Ils n'ont pas pique-niqué à cause de la pluie.	☐	☐

6 Remettez le mail dans l'ordre.

a. Tu sais, j'ai visité Lyon l'année dernière, → ......

b. Amuse-toi bien ! À bientôt ! → ......

c. J'ai adoré le parc zoologique aussi : → ......

d. Salut Markus ! Tu es bien arrivé à Lyon ? → 1

e. c'est super, surtout quand on aime les animaux ! → ......

f. le centre-ville est magnifique ! → ......

Production écrite

7 Écrivez un mail à un(e) ami(e) et racontez : qu'est-ce que vous avez fait et qu'est-ce vous avez vu à Toulouse ? Vous pouvez vous aider des photos.

Capitole

Pont-Neuf

Cassoulet toulousain

Karaoké

....

....

....

....

....

....

....

2. Partons pour la francophonie

Compréhension de l'oral 🎧 15

1 **Cochez la ou les bonnes réponses.**

a. **Vrai ou faux ?**

	Vrai	Faux
1. Alexandre habite en Suisse.	☐	☐
2. Alexandre est parti en Suisse avec Téo.	☐	☐
3. La Suisse romande est francophone.	☐	☐
4. Alexandre a passé de très bonnes vacances.	☐	☐

b. **Alexandre a visité combien de lieux ?**

1 ☐   2 ☐   3 ☐   4 ☐   5 ☐

c. **Qu'est-ce qu'il a fait au lac Léman ?**

1. Des balades en bateau. ☐
2. Du vélo. ☐
3. Il a pêché. ☐
4. De la plongée. ☐

2 **Répondez aux questions.**

a. À quel endroit est-ce qu'Alexandre a fait une longue promenade ? ....

b. Il a visité quelle ville ? ....

Lexique

3 **Georgio doit préparer un exposé sur Madagascar. Aidez-le à compléter sa fiche. Utilisez les mots de la liste.**

montagnes – forêts – volcans – île – savane

> ### Madagascar
>
> Madagascar est une immense .... de l'océan Indien. Les paysages de ce pays sont très diversifiés : à l'ouest, on trouve surtout des plaines et au centre des .... surmontées par des .... aujourd'hui éteints. Dans le sud, le climat chaud et sec favorise le développement de la .... Au contraire, la côte orientale est plus humide, avec des .... équatoriales.

Grammaire

4 **Complétez la présentation de Maria avec les prépositions *en, de, d', à*.**

> Je m'appelle Maria, j'ai 17 ans et j'habite .... Bruxelles.
>
> Je suis belge mais mes parents viennent .... Espagne, ... Madrid plus exactement.
>
> Ils se sont installés .... Belgique en 1997. J'adore voyager : je suis allée .... Portugal, ... Grèce…
>
> Cet été, je vais .... France sans mes parents pour la première fois ! ☺ Je vais chez ma copine Lisa. Elle habite .... Lyon.
>
> Et vous ? .... où venez-vous ? Vous partez en vacances ? Racontez-moi tout !

Compréhension des écrits

5 Lisez la page du blog de Daphnée.

LES VOYAGES DE DAPHNÉE

Florence
Des souvenirs mémorables de mon séjour
en Toscane…

Bruxelles
Quelques photos prises
au pays de Tintin !

Liban
Mes aventures entre Orient et Occident,
de Beyrouth à Baalbek !

a. Daphnée a visité combien de capitales ? ....

b. Quels pays sont francophones ? ....

6 Lisez le forum.

FORUM CANADA
Facebook | Twitter

Voyager au Canada

Tony Conseils

Message de Tony
Salut à tous ! Je vais partir en Gaspésie pour la première fois ! Qui a déjà visité cette partie du Québec ? Qu'est-ce que vous avez préféré ? Merci pour vos conseils !

Réponse : Damien
J'ai visité la Gaspésie plusieurs fois et j'ai adoré ! Je me suis baladé dans le parc national de la Gaspésie : super pour les amoureux de la nature ! Au sommet du mont Ernest-Laforce, j'ai admiré la vue exceptionnelle sur le parc ! J'aime le sport alors, bien sûr, j'ai fait beaucoup d'activités nautiques ! J'ai adoré la descente de la rivière Cap-Chat en kayak (j'ai vu des phoques et même une baleine !) et la plongée sous-marine à Percé. Je suis aussi allé en Gaspésie l'hiver dernier avec ma famille et nous avons fait du ski dans les Chic-Chocs !

a. **Vrai ou faux ?.**

	Vrai	Faux
1. La Gaspésie se trouve au Québec.	☐	☐
2. Tony habite en Gaspésie.	☐	☐
3. Tony est déjà allé en Gaspésie.	☐	☐
4. Damien est déjà allé en Gaspésie.	☐	☐

b. **Damien a pratiqué quels sports en Gaspésie ?**

....

c. **Il a vu quels animaux en Gaspésie ?**

....

Production écrite

7 Réalisez une page de présentation pour le site de l'office du tourisme de votre pays.

À voir	À faire	Informations pratiques
....	....	....
....	....	....
....	....	....
....	....	....

Bienvenue ! ....
....
....
....
....
....
....

3. Parlons des hébergements

Compréhension de l'oral 🎧 16

1 Écoutez les conseils de Chris et Sacha. Quels sont les avantages et les inconvénients des différents modes d'hébergement ? Complétez la fiche.

- **Le camping sauvage :**
  Avantage ☺ : économique.
  Inconvénients ☹ :.. – impossible de camper en pleine ville
- **Le « couchsurfing » :**
  Avantages ☺ : économique – ....
  Inconvénients ☹ : il faut une connexion Internet – ....
- **Travailler contre un hébergement :**
  Avantage ☺ : économique.
  Inconvénient ☹ : ....

2 Vrai ou faux ?

	Vrai	Faux
a. On peut travailler dans des hôtels et être hébergés gratuitement.	☐	☐
b. Chris et Sacha travaillent dans une *chambre d'hôtes* en Normandie.	☐	☐
c. Ils préfèrent être hébergés par des locaux.	☐	☐

Lexique

3 Associez les définitions et les mots correspondants.

a. Véhicule équipé pour le séjour　　　　　　　　　　1. Bungalow.
b. Habitat temporaire qu'on peut déplacer.　　　　　2. Tente.
c. Long bateau à fond plat.　　　　　　　　　　　　3. Caravane.
d. Maison d'un seul étage, légère et souvent en bois.　4. Résidence.
e. Habitation confortable et luxueuse accueillant plusieurs personnes.　5. Péniche.

Grammaire

4 Transformez les phrases comme dans l'exemple.

Exemple : **On dort bien dans cet hôtel.** → On **y** dort bien.

a. Je vais chez **mon correspondant** l'été prochain.

　→ ....

b. Les gens savourent des spécialités locales **dans cette maison d'hôte**.

　→ ....

c. **Dans cette région**, l'air est pur.

　→ ....

d. On pratique des activités nautiques **dans ce camping cinq étoiles**.

　→ ....

e. Vous jouez au ping-pong **dans cette auberge de jeunesse**.

　→ ....

Compréhension des écrits

5 Sofia et ses amis passent leurs vacances ensemble au camping. Sofia envoie un mail à sa copine Katerina.

De : Sofia
À : Katerina

Signature : None

Salut Katerina !

Nous sommes au camping *Le Bercail*. C'est sympa, on s'amuse bien : il y a une bonne ambiance et beaucoup d'activités sportives. L'environnement est joli aussi, mais c'est assez bruyant, donc nous ne dormons pas bien. Nous n'avons pas de chance, depuis notre arrivée, il fait mauvais et froid ! En plus, la piscine n'est pas chauffée, donc nous ne nous baignons pas… Ce n'est pas très grave, nous avons rencontré d'autres jeunes de notre âge. Nous dînons avec eux tous les soirs et en plus, la nourriture est excellente ! Grosses bises !

Sofia

a. Vrai ou faux ?

	Vrai	Faux
1. Sofia se plaint du bruit.	☐	☐
2. Sofia se plaint du temps.	☐	☐
3. Sofia s'ennuie.	☐	☐

b. Quels sont les principaux avantages du camping *Le Bercail* ?
1. Le cadre. ☐
2. Les activités. ☐
3. Le calme. ☐
4. Le matériel. ☐
5. La nourriture. ☐

6 Christina a eu l'autorisation de ses parents : elle va partir en vacances en France avec ses quatre amis. Elle doit s'occuper de l'hébergement. Ils ont un budget de 1000 euros pour cinq jours. Elle a trouvé plusieurs annonces sur un site.

CAP' CABANE ★★★
(Captieux, Aquitaine)
6 places
Prix par personne :
à partir de 70 € la nuit
Localisation :
Aquitaine (33)

1

LES ROULOTTES ET COTTAGES DU MOULIN
★★★

(Chenillé-Changé, Pays de la Loire)
4 places
Prix par personne : à partir de 25 € la nuit
Localisation :
Pays de la Loire (49)

2

VILLAGE GWENVA ★
(Fouesnant, Bretagne)
5 places
Prix par personne :
à partir de 35 € la nuit
Localisation :
Bretagne (29)

3

D'après www.familytrip.fr.

a. Complétez les notes de Christina.

b. Quel logement doit choisir Christina ? ....
....

a.
Minimum 5 places :
La Cap' cabane, ...
Prix : 4 nuits pour 200 € maximum :
....

Production écrite

7 Vous partez en vacances en France avec cinq amis. Mark vous demande des informations sur le logement. Lisez le document et présentez le logement à Mark (situation, prix, nombre de places...)

CAMPING INDIGO LE MOULIN ★★★
(Saint-Martin-d'Ardèche, Rhône-Alpes)

Évadez-vous entre montagnes et rivière !

Jusqu'à 12 personnes par groupe

Prix par personne :
à partir de 25 € la nuit

Localisation :
Rhône-Alpes (07)

....
....
....
....
....
....
....
....

Unité 2 – « Bon voyage »

4. Racontons une mésaventure

Compréhension de l'oral 17

1 ▶ **Écoutez et répondez.**

a. Dans quelle ville est Marina ? ....

b. Il y a eu un problème de métro : lequel ? ....

    1. Un problème technique   ☐

    2. Une panne électrique   ☐

    3. Un accident grave   ☐

c. Le prochain train part à quelle heure ? ....

2 ▶ **Vrai ou faux ?**

	Vrai	Faux
a. Marina s'est réveillée en retard.	☐	☐
b. Marina est descendue à la station République.	☐	☐
c. Marina est restée dans le métro 45 minutes.	☐	☐
d. Marina n'a pas pris le métro dans la bonne direction.	☐	☐

Lexique

3 ▶ **Complétez le dialogue avec les mots de la liste.**

loin – pont – perdues – deuxième rue – tout droit – plan

– Bonjour Madame !

– Bonjour Mesdemoiselles !

– Excusez-nous, nous cherchons la place Picasso... Nous n'avons pas de .... et nous sommes un peu ....

– Oh, ne vous inquiétez pas, ce n'est pas .... d'ici... Vous prenez la .... à gauche, vous traversez le .... et vous continuez toujours ....

– Merci beaucoup Madame !

– Je vous en prie ! Bonne journée !

– Bonne journée !

4 ▶ **Retrouvez dans la grille suivante 10 mots liés au thème de la leçon.**

Ils sont cachés horizontalement (→), de gauche à droite.

Q	A	N	E	C	D	O	T	E	B	U	L	B	É
B	B	V	C	O	N	S	E	I	L	H	Y	N	G
N	H	H	O	N	Z	P	Q	Q	A	C	Ç	E	F
W	C	H	A	M	B	R	E	L	B	U	F	L	R
V	C	D	O	I	V	C	G	R	F	Z	O	V	Y
M	G	S	Y	K	M	N	A	D	M	L	C	D	A
S	T	R	A	I	N	C	Y	J	A	B	T	Z	I
H	F	M	K	É	G	T	K	G	A	R	E	X	U
P	D	C	A	H	N	M	X	S	Z	A	H	N	N
C	R	B	K	D	N	I	Q	B	V	I	L	L	E
R	E	T	A	R	D	K	V	A	L	I	S	E	I
W	G	G	O	S	B	M	X	A	T	P	P	C	E
G	N	É	C	O	G	V	O	Y	A	G	E	P	W
C	H	E	M	I	N	P	U	Q	Q	P	L	R	P

Compréhension des écrits

5 Lisez l'histoire de Jess et répondez aux questions.

Martinique, juillet 2017, nos vacances de rêve sont déjà finies et nous voilà à l'aéroport. Et là, surprise : la compagnie aérienne refuse notre ami ! Sur son billet d'avion, il est indiqué « Dan » alors que, sur son passeport, son prénom est « Albert » ! Personne n'y a pensé lors de l'achat du billet, car tout le monde l'appelle Dan, même sa copine ! Le séjour se termine par l'achat d'un autre billet plein tarif (quatre fois plus cher !)... Et une crise de larmes ! Maintenant, on sait tous comment il s'appelle...

a. **Ils sont allés quand en Martinique ?**
....

b. **Pourquoi la compagnie a refusé Dan ?**
1. Il n'a pas payé son billet   ☐
2. Il n'y a pas le bon nom sur son billet   ☐
3. Son billet est vieux   ☐

c. **Qu'est-ce que Dan a fait finalement ?**
....

Production écrite

6 Maria est à la gare, elle veut rejoindre ses amis place du Ralliement. Indiquez-lui le chemin.

7 Imaginez la suite de cette histoire au passé composé.
Vous pouvez vous aider des images.

« Ce samedi matin, je me suis réveillé tôt pour aller à l'aéroport.
Malheureusement, tout ne s'est pas passé comme prévu :
....
....
....
....
....

1 Conjuguez les verbes au passé composé.

a. J' .... (*prendre*) l'avion pour me rendre en Grèce.

b. Léo .... (*mettre*) une heure pour visiter la ville.

c. Cet hôtel .... (*ouvrir*) l'année dernière.

d. Tu .... (*pouvoir*) contacter ta famille ?

e. Nous .... (*vouloir*) rester quelques jours de plus.

f. Vous .... (*devoir*) annuler votre séjour.

2 Amanda raconte ses voyages sur son blog. Complétez son message avec les participes passés de la liste. Faites les accords.

pris – visité – eu – restées – acheté – arrivée – promenées – retrouvé – découvert

LE BLOG D'AMANDA

Première journée à Nice

Je suis .... très tôt ce matin à Nice. J'ai .... ma copine Sonia. D'abord, nous avons .... le quartier historique de Nice. Nous avons .... du pain et des fruits au marché du cours Saleya. Après, nous nous sommes .... le long de la baie des Anges : magnifique !
J'ai .... beaucoup de photos et nous nous sommes .... (température de l'eau : 27 degrés !) !
Nous sommes .... longtemps sur la plage.
Nous n'avons pas .... le temps d'aller au musée aujourd'hui, peut-être demain ?
Amanda

3 Remplacez les mots en gras par les mots entre parenthèses. Faites les accords !

a. **Baptiste** (Delphine) est allé dans le sud de la France pendant les fêtes.

....

b. **Ton voyage** (tes vacances) s'est bien passé ?

....

c. Tu es resté combien de temps en France, **Victor** (Julia) ?

....

d. **Tedy** (les lycéennes) s'est amusé pendant le voyage scolaire.

....

e. **Pedro** (Séléna) a visité Bruxelles.

....

f. **Timéo et Nina** (Éléna) se sont perdus dans les rues de Lyon.

....

4 Votre classe n'a pas fait les activités du programme : il faisait mauvais.
Mettez les phrases à la forme négative. Aidez-vous de la première phrase.

Programme de la journée :

▸ Visiter le musée.
▸ Découvrir le centre-ville.
▸ Déjeuner au bord du fleuve.
▸ Faire les magasins.
▸ Participer à une chasse au trésor.
▸ Voir le concert du groupe JJ 49.
▸ Dîner avec la classe.

« Aujourd'hui, il a fait très mauvais ! Alors, nous n'avons pas visité le musée, ...

....

....

....

....

5 Les élèves du lycée Napoléon racontent leurs vacances en Corse. Relevez les verbes pronominaux au passé composé et donnez leur infinitif comme dans l'exemple.

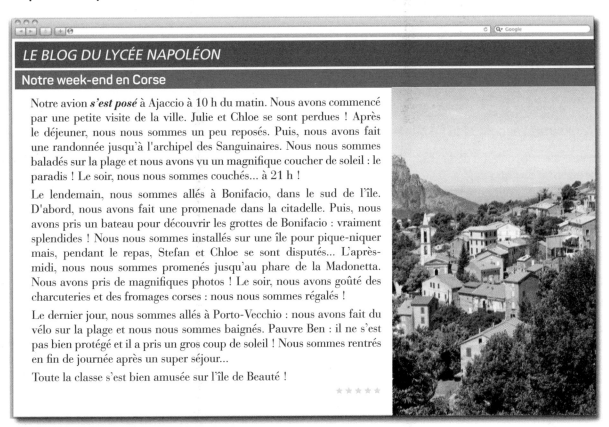

LE BLOG DU LYCÉE NAPOLÉON

Notre week-end en Corse

Notre avion *s'est posé* à Ajaccio à 10 h du matin. Nous avons commencé par une petite visite de la ville. Julie et Chloe se sont perdues ! Après le déjeuner, nous nous sommes un peu reposés. Puis, nous avons fait une randonnée jusqu'à l'archipel des Sanguinaires. Nous nous sommes baladés sur la plage et nous avons vu un magnifique coucher de soleil : le paradis ! Le soir, nous nous sommes couchés... à 21 h !

Le lendemain, nous sommes allés à Bonifacio, dans le sud de l'île. D'abord, nous avons fait une promenade dans la citadelle. Puis, nous avons pris un bateau pour découvrir les grottes de Bonifacio : vraiment splendides ! Nous nous sommes installés sur une île pour pique-niquer mais, pendant le repas, Stefan et Chloe se sont disputés... L'après-midi, nous nous sommes promenés jusqu'au phare de la Madonetta. Nous avons pris de magnifiques photos ! Le soir, nous avons goûté des charcuteries et des fromages corses : nous nous sommes régalés !

Le dernier jour, nous sommes allés à Porto-Vecchio : nous avons fait du vélo sur la plage et nous nous sommes baignés. Pauvre Ben : il ne s'est pas bien protégé et il a pris un gros coup de soleil ! Nous sommes rentrés en fin de journée après un super séjour...

Toute la classe s'est bien amusée sur l'île de Beauté !

★ ★ ★ ★ ★

Se poser ; ....

....

....

6 Associez les questions et les réponses.

a. Tu es parti à Paris tout seul ?
b. Tu t'es promené dans le quartier des Halles ?
c. Qu'est-ce que tu as vu à Madagascar ?
d. Quelles activités as-tu faites au camping ?
e. Tu es resté combien de temps à Marseille ?

1. Non, je ne m'y suis pas baladé.
2. J'y ai fait du vélo et du ping-pong.
3. J'y ai passé un week-end seulement.
4. Non, j'y suis allé avec deux copains.
5. J'y ai découvert une faune et une flore exceptionnelles.

7 Remettez les phrases dans l'ordre. Aidez-vous de la ponctuation.

Exemple : **année / J' / dernière. / suis / y / allé / l'** → **J'y suis allé l'année dernière.**

a. vécu / ans. / J' / ai / deux / y / pendant → ....
b. y / des / J' / amis ! / rencontré / ai → ....
c. avons / la / Nous / joué / y / journée ! / toute → ....
d. n' / pas / Je / pensé ! / ai / y → ....

[ə] et [e]

1 Écoutez. Vous entendez le son [e] ou le son [ə] ? Cochez la bonne case. 🎧 18

	[e]	[ə]			[e]	[ə]
a.	☐	☐		d.	☐	☐
b.	☐	☐		e.	☐	☐
c.	☐	☐		f.	☐	☐

2 Écoutez et ajoutez l'accent aigu (é) quand c'est nécessaire. 🎧 19

a. Une balade à velo dans la forêt, ça te dit ?
b. On a fait la fête à la fin de notre sejour.
c. On a passe deux jours au bord de la Mediterranee.
d. J'ai vu des paysages magnifiques pendant les vacances.
e. Nous avons decouvert un vieux cinema dans le quartier.
f. Dans cette region, les temperatures sont très elevees pendant l'ete.

3 Écoutez les phrases. Puis, lisez-les en face d'un miroir. Vérifiez que vous faites les bons mouvements articulatoires, puis entourez les sons [ə]. 🎧 20

a. Le muséum est fermé le jeudi.
b. Comment s'appelle ce lieu ?
c. Nous sommes restés chez eux.
d. On peut allumer un feu de camp ?
a. Je me suis reposé un peu.
f. Nous avons passé deux semaines à Montreux.

4 Écoutez. Vous avez entendu quels mots ? Cochez les bonnes réponses. 🎧 21

a. deux ☐ des ☐   b. ce ☐ ces ☐   c. le thé ☐ les thés ☐   d. dessus ☐ déçu ☐   e. ce jour ☐ séjour ☐

5 Écoutez et écrivez les phrases. 🎧 22

a. .... d. ....
b. .... e. ....
c. ....

6 Écoutez. Ensuite, lisez les phrases, d'abord lentement, puis vite. 🎧 23

a. deux, des, début, debout, décor, dehors
b. repars, répare
c. J'ai repéré les lieux.
d. Je veux me reposer un peu.
e. « Bonjour Messieurs ! Au menu du petit-déjeuner : du thé, des œufs et des tartines beurrées. » « Délicieux ! »

7 Écoutez ce petit dialogue. Jouez-le à deux. Faites bien la différence entre [e] et [ə]. 🎧 24 👥
N'oubliez pas de mettre le ton !

– Alors, Eugénie ? Ce séjour ?
– Un peu déçue…
– Sérieux ?* Tu n'as pas aimé Périgueux ?
– Trop ennuyeux…
– Et Rezé ?
– Trop peuplé !
– Et Évreux ?
– Trop dangereux !
– Euh… Et le retour ?
– Affreux : deux heures de retard !

(* Familier)

Lexique

 Retrouvez les mots en vous aidant des définitions et des lettres données.

L I E : un espace de terre entouré d'eau. ....

É S E U M : un lieu d'exposition d'œuvres d'art par exemple. ....

C I S I P E N : un bassin artificiel aménagé pour la baignade. ....

D O P A R E M E N : une balade. ....

 Complétez le mail d'Alex avec les mots de la liste.

rue – pique-nique –tournez – trajet – parc – descendez

De : Alex
À :
Signature: None

Salut les amis !

Rendez-vous à midi devant la fontaine, place Lafayette. Le .... est très simple : prenez le bus numéro 6 et .... à la station Victor-Hugo.

Ensuite, prenez la .... Montaigne, ... à gauche et vous arrivez sur la place Lafayette ! Il y a un petit .... à côté de la fontaine : c'est le lieu idéal pour faire un .... ! Alors, n'oubliez pas vos sandwiches !

À tout à l'heure !
Alex

3 **Classez les mots de la liste dans la bonne catégorie.**

Lyon – lémurien – cathédrale – camping – train – Canada – Versailles – serpent – bus – musée – Belgique – photographie

▸ Pays francophones : .... – ....
▸ Villes françaises : .... – ....
▸ Moyens de transport : .... – ....
▸ Activités de loisirs : .... – ....
▸ Monuments : .... – ....
▸ Animaux : .... – ....

4 **Complétez la grille de mots croisés.**

Horizontal
2. Document officiel nécessaire pour voyager.
3. Je dis cela quand je n'ai pas compris ou que je suis désolé.
7. Animal à huit pattes.
8. Arbre des régions chaudes.
9. Moyen de transports très utilisé dans les grandes villes.

Vertical
1. Voyageur.
4. Partie d'une ville.
5. Longue promenade à pied, à vélo ou à cheval.
6. Grand jardin aménagé pour la promenade ou les loisirs.
8. Bord de mer.

Identifier et utiliser correctement le passé composé

1 Je distingue le passé composé du présent.

Soulignez les phrases au passé composé.

a. J'ai oublié mon passeport.
b. Je suis à Paris depuis deux semaines.
c. Nous sommes restés à la maison hier.
d. Tu pars toujours en vacances en août.

2 Je mémorise l'utilisation et la construction du passé composé.

Cochez la ou les bonnes réponses.

a. **Le passé composé me permet de ...**
1. parler de mes habitudes. ☐
2. raconter des actions terminées. ☐
3. dire ce que je suis en train de faire. ☐

b. **Je construis le passé composé ... :**
1. avec un infinitif. ☐
2. avec un participe passé. ☐
3. avec un auxiliaire suivi d'un participe passé. ☐
4. avec un participe passé suivi d'un auxiliaire. ☐

c. **J'utilise l'auxiliaire « être » avec...**
1. tous les verbes. ☐
2. les verbes de « mouvement ». ☐
3. les verbes pronominaux. ☐

3 Je retiens les règles d'accords du passé composé.

Complétez les phrases avec les participes passés de la liste.

appris – marché – arrivée – posé – pris – promenées

a. J'ai .... beaucoup de photos de la capitale.
b. Antonia est .... en fin de semaine.
c. Nikos a .... à jouer de la guitare pendant son séjour.
d. Anna et Lisa se sont .... dans un quartier très sympa.
e. L'avion s'est .... à 10 h du matin.
f. Nous avons .... jusqu'au centre-ville de Lyon.

4 Je respecte l'ordre des mots à la forme négative.

Mettez les phrases à la forme négative à l'aide de l'exemple.
Exemple : **Mina et Léo ont pique-niqué sur la plage.**
→ Mina et Léo n'ont pas pique-niqué sur la plage.

a. Carolina a campé dans la nature.
→ ....
b. Hier, Tony a dormi chez Stefan.
→ ....
c. Alejandro est allé au centre commercial.
→ ....
d. Iris et Agatha se sont promenées le long de la Loire.
→ ....

5 Je ne confonds pas les participes passés.

Associez les verbes à l'infinitif et les participes passés correspondants.

a. devoir   1. voulu
b. dire   2. perdu
c. voir   3. dû
d. vouloir   4. pris
e. prendre   5. vu
f. perdre   6. dit

6 J'applique les règles du passé composé. 🎧 25

Écoutez et complétez. Maria et Damian ont passé quelques jours en France. Ils racontent ce qu'ils ont fait.

a. Maria ....
....
b. Damian ....
....
....
....

7 Je réutilise mes connaissances.

Complétez les phrases avec des verbes au passé composé. Aidez-vous des exercices précédents.

a. Le week-end dernier, j'ai ....
b. Pendant les vacances, nous avons ....
c. Durant son séjour, elle ....
d. L'été dernier, tu ....

Portfolio

	Oui	Pas complètement	Pas encore
Langue			
Je comprends un récit simple au passé composé.			
Je peux raconter ce que j'ai fait au passé composé.			
J'arrive à indiquer un itinéraire.			
Je comprends une anecdote.			
Grammaire			
Je maîtrise l'utilisation, la construction et les règles d'accord du passé composé.			
Je sais utiliser les bonnes prépositions devant les noms de pays et de villes.			
Je sais utiliser le pronom « y ».			
Lexique			
Je sais comment évoquer des déplacements dans un lieu et indiquer un chemin.			
J'arrive à me situer ou à situer un lieu, un monument (les loisirs, les paysages, la faune et la flore...).			
Je peux décrire un paysage.			
Je peux parler de la faune et la flore d'un pays.			
Je sais parler de différents types d'hébergement.			
Je peux parler de loisirs.			
Je peux dire que je ne comprends pas.			
Phonétique			
Je distingue les sons [e] et [ə].			
Je prononce correctement [e] et [ə].			
Civilisation			
Je sais ce qu'est la francophonie.			
Je connais au moins un département français d'outre-mer.			
Je connais plusieurs pays francophones.			
Je connais les noms de plusieurs grandes villes francophones.			

Compréhension de l'oral

Vous allez entendre trois enregistrements, correspondant à trois documents différents. Pour chaque document, vous aurez : 30 secondes pour lire les questions ; une première écoute, puis 30 secondes de pause pour commencer à répondre aux questions ; une seconde écoute, puis 30 secondes de pause pour compléter vos réponses. Répondez aux questions en cochant (X) la bonne réponse ou en écrivant l'information demandée.

Exercice 1 🎧 26

Lisez les questions. Écoutez le document puis répondez.

1. **Où entendez-vous cette annonce ?**
   a. dans un aéroport ☐
   b. sur un bateau-mouche ☐
   c. dans une gare ☐

2. **Quelle est la cause des perturbations ?**
   a. La météo est mauvaise. ☐
   b. Il y a une grève. ☐
   c. Il y a eu un accident. ☐

3. **Le train pour Marseille est :**
   a. supprimé. ☐
   b. retardé. ☐
   c. à l'heure. ☐

4. **Quel est le numéro du train pour Paris ?**
   ....

5. **Le train pour Paris a un retard de...**
   a. 20 minutes. ☐
   b. 30 minutes. ☐
   c. 40 minutes. ☐

Exercice 2 🎧 27

Lisez les questions. Écoutez le document puis répondez.

1. **Vous avez entendu :**
   a. une publicité pour une agence de voyages. ☐
   b. une annonce pour un jeu concours. ☐
   c. un message de l'office du tourisme belge. ☐

2. **Le séjour se déroule :**
   a. à Toulouse. ☐
   b. à Paris. ☐
   c. à Bruxelles. ☐

3. **Le séjour dure :**
   a. un week-end. ☐
   b. une semaine. ☐
   c. deux semaines. ☐

4. **Le séjour comprend :**
   a. le vol. ☐
   b. le vol et l'hôtel. ☐
   c. le vol, l'hôtel et le restaurant. ☐

Exercice 3 🎧 28

Vous allez entendre deux fois quatre dialogues, correspondant à 4 situations différentes. Lisez les situations. Écoutez le document puis reliez chaque dialogue à la situation correspondante. Vous êtes en vacances chez des amis français. Vous entendez ces conversations.

Écoutez et reliez le dialogue à la situation.

Dialogue 1 •   • Présenter ses excuses.
Dialogue 2 •   • Refuser une invitation.
Dialogue 3 •   • Informer.
Dialogue 4 •   • Proposer son aide.

Compréhension des écrits

Exercice 4

Vous êtes en vacances et vous cherchez une activité à faire avec vos amis mais ils ont des goûts différents !
Vous lisez la brochure.

Activité 1
Découvrez le yoga !
Profitez de vos vacances pour vous initier à une activité relaxante
Cours dans le parc Saint Nicolas
Inscrivez-vous directement sur place

Activité 2
Rejoignez notre club de surf !
Cours ouverts à tous les amoureux de l'Océan !
Attention : bon niveau en natation exigé !

Activité 3
Stage organisé ce week-end pour les amateurs de photographie !
Débutants acceptés
informations et inscriptions sur note site.

Activité 4
Zumba
Pour danser et transpirer en rythme !
Venez nombreux !

Quelle activité plaira le plus à chacun ? Aidez-vous de l'exemple donné.

Activité	1	2	3	4
a. Yannis a envie de devenir photographe.	☐	☐	☑	☐
b. Mélina est fan de musique et de danse.	☐	☐	☐	☐
c. Katie aime le calme et la nature.	☐	☐	☐	☐
d. Damian est très sportif et adore la mer.	☐	☐	☐	☐

Exercice 5

1. Quel temps fait-il en Corse ?
  a. Il fait un temps magnifique. ☐
  b. Il fait froid. ☐
  c. Il fait mauvais. ☐
  d. Il neige. ☐

2. Alexia n'a pas fait quelle activité ?
  a. De la plongée. ☐
  b. Du cheval. ☐
  c. De la randonnée. ☐
  d. De la guitare. ☐

3. Depuis combien de temps Alexia est-elle en Corse ?
....

4. Où est-ce que Mathias passe ses vacances ?
....

5. Quand est-ce qu'Alexia rentre chez elle ?
....

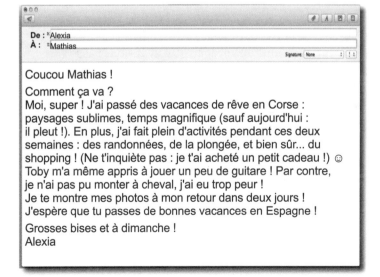

De : *Alexia
À : *Mathias

Coucou Mathias !

Comment ça va ?
Moi, super ! J'ai passé des vacances de rêve en Corse : paysages sublimes, temps magnifique (sauf aujourd'hui : il pleut !). En plus, j'ai fait plein d'activités pendant ces deux semaines : des randonnées, de la plongée, et bien sûr... du shopping ! (Ne t'inquiète pas : je t'ai acheté un petit cadeau !) ☺
Toby m'a même appris à jouer un peu de guitare ! Par contre, je n'ai pas pu monter à cheval, j'ai eu trop peur !
Je te montre mes photos à mon retour dans deux jours !
J'espère que tu passes de bonnes vacances en Espagne !

Grosses bises et à dimanche !
Alexia

Production écrite

Exercice 6

Vous participez à un forum de lycéens francophones sur le thème « mes plus belles vacances ».
Vous racontez et décrivez vos plus belles vacances. (60 mots minimum)

Production orale

Exercice 7
Entretien dirigé (1 minute 30 environ)

Après avoir salué votre examinateur, vous vous présentez (vous parlez de vous, de votre famille, de vos amis, de vos études, de vos goûts, des animaux que vous aimez, etc.).

Exercice 8
Monologue suivi (2 minutes environ)

Vous tirez au sort deux sujets et vous en choisissez un. Vous vous exprimez sur le sujet. L'examinateur peut ensuite vous poser des questions pour vous aider.

> Sujet 1   *Les vacances*
>
> Qu'est-ce que vous aimez faire vacances ? Préférez-vous rester chez vous ou voyager ? Où avez-vous passé vos plus belles vacances ?

> Sujet 2   *Les loisirs*
>
> Que faites-vous pendant votre temps libre ? Est-ce que vous pratiquez un sport ? Est-ce que vous préférez vous amuser ou vous reposer ?

Exercice 9
Exercice en interaction (3 à 4 minutes environ)

Vous tirez au sort deux sujets et vous en choisissez un. Vous devez simuler un dialogue avec l'examinateur afin de résoudre une situation de la vie quotidienne. Vous montrez que vous êtes capable de saluer et d'utiliser des règles de politesse. Dans certains sujets, le genre masculin est utilisé pour alléger le texte. Vous pouvez naturellement adapter la situation en adoptant le genre féminin.

> Sujet 1   *Dans une ville française*
>
> Vous êtes en vacances dans une ville de France et vous voulez faire du shopping au centre-ville. Vous interrogez un(e) passant(e) pour connaître l'itinéraire à suivre

> Sujet 2   *Recherche de logement*
>
> Vous voulez passer une semaine en France avec des amis. Vous appelez un hôtel français pour avoir des informations (type de chambres, tarifs etc.).

Unité 3 > À TABLE !

Compréhension de l'oral 🎧 29

1 **Cochez la ou les bonnes réponses.**

a. **Vrai ou faux ?**

	Vrai	Faux
1. La recette de Maya s'appelle la « rose des vents ».	☐	☐
2. C'est un dessert.	☐	☐
3. Il faut mettre la préparation au frigo.	☐	☐

b. **Quels ingrédients faut-il utiliser pour préparer la recette de Maya ?**

1. Des œufs. ☐ 4. Du sucre. ☐
2. Du chocolat. ☐ 5. Des céréales. ☐
3. Du lait. ☐ 6. De la farine. ☐

2 **Quel ingrédient manque dans la liste de la question 2 b ?** ....

Lexique

3 **Mina a écrit la recette du croque-monsieur. Complétez avec les mots de la liste.**
mélange – enfourne – ajoute – étale – verse

Le croque-monsieur à ma façon !

Ingrédients :
❖ 2 tranches de pain de mie
❖ 2 tranches de fromage (de l'emmental par exemple)
❖ Une tranche de jambon
❖ 50 g de beurre
❖ 100 g de fromage râpé (du gruyère)
❖ 1 cuillère à soupe de lait
❖ du poivre

D'abord, je beurre bien les tranches de pain de mie et j'......................... les tranches de fromage et le jambon. Ensuite, je .... le lait dans un petit saladier et je .... avec le fromage râpé, le sel et le poivre. Puis, j'......................... bien ce mélange sur les tranches de pain. Enfin, j'......................... le croque-monsieur à 210°C pendant environ 10 minutes.

C'est prêt ! Bon appétit !

4 **Julia a noté la recette du cocktail « Rouge Paris » sur un petit papier, mais le chat a tout déchiré. Remettez la recette dans l'ordre.**

a. les fraises et les framboises avec une fourchette dans un saladier.

b. Enfin, ajoutez un verre d'eau gazeuse et deux glaçons.

c. ajoutez une cuillère à café de sucre roux.

d. Tout d'abord, lavez bien les fruits et coupez-les.

e. Ensuite, pressez un citron et écrasez...

f. Puis, versez le jus de citron dans la purée de fruits et

→ d, ...

Grammaire

5 **Transformez les phrases comme dans l'exemple.**

Exemple : **Julia prépare un cocktail.** → Julia est *en train* de préparer un cocktail.

a. Attention : le gâteau brûle ! → ....
b. Rachel fait une délicieuse mousse au chocolat. → ....
c. Nous mélangeons le lait et la farine. → ....
d. Le chef met la préparation dans le four. → ....
e. Je découvre une nouvelle recette... → ....

Compréhension des écrits

 Lisez le document.

LES CORDONS BLEUS

ACCUEIL   RECETTES   PHOTOS   CALENDRIER   CONTACT

Cours de cuisine pour futurs chefs !

Vous voulez préparer des petits plats simples et savoureux ?
Nos chefs vous aident à réaliser vos recettes préférées !
Venez dans nos ateliers et passez derrière les fourneaux pour cuisiner
avec vos amis et... sans vos parents !

Public : entre 15 et 20 ans
Tarif : 25 € par cours

LES CORDONS BLEUS
23 rue de Verdun, 21000 Dijon
✆ 03 65 43 12 98

Recette aux trois chocolats
pour les amoureux du chocolat !
▶ Le mercredi de 15 h à 17 h

Bon... et bon !
équilibré et délicieux !
▶ Le samedi de 14 h à 16 h

Autour du monde...
Découvrez les cuisines de tous les pays !
▶ Le samedi de 10 h à 12 h

a. Vrai ou faux ? Cochez les bonnes réponses.

	Vrai	Faux
1. Les cours sont pour les grands chefs.	☐	☐
2. Il faut avoir 15 ans ou plus.	☐	☐
3. Je peux suivre un cours avec mes amis.	☐	☐
4 Je peux suivre un cours avec mes parents.	☐	☐

b. Combien de temps dure un cours de cuisine ?...

c. Associez les personnes et les cours.

1. Emin doit mieux s'alimenter.
2. Alicia adore les plats asiatiques et les saveurs épicées.
3. Béril est très gourmande ! Son plat préféré ?
   La mousse au chocolat !

a. Cours du mercredi de 15 h à 17 h.
b. Cours du samedi de 10 h à 12 h.
c. Cours du samedi de 14 h à 16 h.

Production écrite

 Voici la recette de Naim. Il n'a pas fini. Lisez la liste des ingrédients, les indications et le début de la recette. Puis écrivez la suite.

La pizza facile

Ingrédients
- 1 pâte à pizza
- Une boîte de tomates pelées
- Une boîte de champignons
- 50 grammes d'olives noires
- 125 grammes de gruyère râpé
- 1 poignée d'herbes aromatiques
- Une pincée de sel et une pincée de poivre

Temps de cuisson : 20 minutes
- Température : 220 °C

Je mélange les tomates pelées, un peu d'eau, le sel, le poivre et les herbes aromatiques. Je verse la sauce dans une casserole et je fais chauffer à feu doux pendant 10 minutes. ....
....
....
....
....
....

2. Luttons contre le gaspillage alimentaire

Compréhension de l'oral

1 Écoutez et répondez.

a. **Sur quoi porte l'enquête ?**
   1. La lutte contre le gaspillage alimentaire dans un lycée français. ☐
   2. Un nouveau scandale de gaspillage alimentaire dans un lycée français. ☐
   3. La fin du gaspillage alimentaire dans tous les lycées de France. ☐

b. **Les élèves ont arrêté de prendre un aliment au self : lequel ?** ....

c. **Comment le lycée se débarrasse des restes ?**
   ....

2 Vrai ou faux ?

	Vrai	Faux
a. Les lycéens peuvent choisir le menu de la semaine.	☐	☐
b. Les lycéens mangent en plus petite quantité mais mieux.	☐	☐
c. Les lycéens participent maintenant à la préparation des repas.	☐	☐

Lexique

3 Complétez la grille de mots croisés avec les mots de la leçon.

Horizontal
4. En mauvais état.
5. Un mélange de fruits un peu cuits avec de l'eau et du sucre.
6. Quand le pain n'est plus frais, il est...

Vertical
1. Gâcher, mal utiliser de l'argent, de la nourriture...
2. Contenu de la poubelle.
3. Un mélange de légumes cuits à l'huile d'olive.

4 Complétez le texte avec les mots de la liste.

à mon avis – soupes – trouve – jus – défraîchis

FORUM CONSO' ADO'   Facebook Twitter

Lutter contre le gaspillage alimentaire : quel est votre avis ?

Aujourd'hui, on a beaucoup parlé du gaspillage alimentaire au lycée.
Je .... que c'est important. Tous les jours, on jette des
fruits ou des légumes un peu .... Mais on peut encore
les manger ! ...., il faut bien expliquer aux gens qu'on
peut cuisiner les aliments de plein de façons différentes (on peut faire
des .... avec les légumes et des ....
avec les fruits par exemple), ça évite de jeter à chaque fois !
Lisa

Grammaire

5 Complétez les phrases suivantes avec les pronoms compléments directs (*le, la, les*).
Aidez-vous de l'exemple.

Exemple : Où jettes-tu les emballages ? Je **les** jette dans la poubelle jaune.

a. Je fais cuire ce légume défraîchi, puis je .... mange.
b. Nous ne jetons pas restes, nous .... cuisinons !
c. – Tu gardes cette vieille tomate dans ton frigo ?
– Oui, je .... consomme ensuite dans une soupe ou une ratatouille...
d. Ne mettez pas vos fruits un peu abîmés à la poubelle ! Mangez- .... en compote !
e. Tu connais cette émission sur le gaspillage alimentaire ? Regarde-................ c'est très intéressant !

Compréhension des écrits

6 Lisez le mail de Leandro et répondez aux questions.

De Léandro
s À Martha
Signature: None

Salut Martha !
Tu vas bien ?
La semaine dernière, j'ai découvert une super application web : *Partage ton frigo !* Le but est de partager le contenu de son frigo avec d'autres personnes pour éviter le gaspillage alimentaire. Je me suis inscrit et mon frigo est devenu « connecté » ! J'ai mis en ligne les photos de certains de mes aliments et j'ai ouvert les frigos de mes voisins (ils sont inscrits aussi) ! ☺ J'ai pu partager des produits : je me suis débarrassé de yaourts presque périmés (j'ai évité de les jeter) et j'ai récupéré une bouteille de soda !
Après, nous avons organisé un apéro-frigo : j'ai rencontré d'autres jeunes intéressés par la lutte contre le gaspillage alimentaire, nous avons discuté, mangé... mais nous n'avons rien jeté ! :) J'ai adoré !
Va vite sur le site ! On y trouve plein d'informations intéressantes !
Bye !
Leandro

a. *Partage ton frigo :* qu'est-ce que c'est ?
....

b. Qu'est-ce que Leandro a donné ?
1. Des fruits. ☐
2. Un soda. ☐
3. Des yaourts. ☐

c. Vrai ou faux ?

	Vrai	Faux
1. Les voisins de Leandro sont inscrits sur Partage ton frigo.	☐	☐
2. Leandro a participé à un apéro-frigo.	☐	☐
3. Leandro et ses amis ont cuisiné des aliments presque périmés.	☐	☐
4. L'objectif principal est que les gens se rencontrent.	☐	☐

Production écrite

7 Sabri lutte contre le gaspillage alimentaire. Il crée une affiche. Aidez Sabri : trouvez un nom pour l'association et un slogan, et exprimez des obligations et des interdictions.

3. Faisons les courses

Compréhension de l'oral

1 **Écoutez et répondez aux questions.**

a. Pourquoi l'alimentation de Carmen est « spéciale » ?

....

b. Pourquoi l'omelette est une mauvaise idée ?
1. L'amie de Carmen est allergique aux œufs. ☐
2. Carmen est allergique aux œufs. ☐
3. L'amie de Carmen déteste les œufs. ☐

c. Quel plat propose la vendeuse à l'amie de Carmen ?

....

d. Quel dessert l'amie de Carmen choisit finalement ?
1. Des crêpes. ☐
2. De la glace au citron. ☐
3. Un sorbet à la rose. ☐
4. Un sorbet au citron. ☐

Lexique

2 **Retrouvez 7 mots de la leçon dans la grille. Ils sont cachés horizontalement (→), de gauche à droite.**

D	C	J	J	Z	Q	U	A	H	Y	A	N	A	A	Q	R
C	E	N	N	L	X	F	G	L	E	G	U	M	E	O	G
A	T	Q	E	O	A	R	A	C	H	I	D	E	X	U	H
X	K	R	X	E	O	K	J	M	A	X	F	V	I	D	D
I	E	F	S	A	X	V	M	P	F	D	C	D	B	O	B
O	F	H	C	V	E	G	E	T	A	R	I	E	N	L	J
S	M	U	P	W	R	T	A	A	W	G	D	C	U	V	W
N	I	N	G	I	J	V	G	O	M	D	C	F	D	R	W
Z	H	Q	Q	U	A	V	U	R	M	D	K	X	F	R	X
T	O	M	A	T	E	U	N	N	J	U	A	Y	H	W	Y
S	J	Y	W	N	H	B	W	K	W	V	M	K	R	W	W
O	R	U	R	L	C	H	A	M	P	I	G	N	O	N	L
W	R	N	A	L	L	E	R	G	I	E	S	F	Q	G	M
D	O	V	B	J	R	E	C	E	T	T	E	H	D	B	J
V	W	B	K	K	N	E	S	D	Z	X	K	V	S	N	F
K	S	P	O	H	O	N	A	R	V	B	H	S	L	E	Q

Grammaire

3 **Que remplace le pronom *en* ? Associez.**

a. J'**en** mange au petit-déjeuner.
b. J'**en** mets dans mes pâtes.
c. Tu n'**en** bois pas assez !
d. N'**en** mange pas trop : c'est très gras !
e. Il ne faut pas trop **en** boire...

1. De l'eau.
2. Des sodas.
3. Des chips.
4. Du pain.
5. De la sauce tomate.

4 **Votre amie Emma doit changer son alimentation. Donnez-lui des conseils comme dans l'exemple.**

Exemple : **Il ne faut pas manger trop de sucre** → **Ne mange pas** trop de sucre !

a. Il faut consommer des produits frais. → .... !
b. Il ne faut pas boire de boissons sucrées. → .... !
c. Il faut éviter les aliments trop gras. → .... !
d. Il faut faire attention aux plats industriels. → .... !
e. Il faut lire attentivement les étiquettes sur les emballages. → .... !

5 Complétez les phrases suivantes avec *le, la, les, du, de la, de l', des, de, d'*.

Sandy doit s'occuper du repas du pique-nique. Elle n'aime pas .... salade verte, alors elle prépare .... riz. Elle ajoute une boîte .... thon, ... tomates et .... huile d'olive. Tout le monde aime .... chocolat mais son ami Victor évite .... produits sucrés industriels. Donc, Sandy fait .... compote avec quelques fruits. Bien sûr, elle n'oublie pas de prendre une bouteille .... eau !

Compréhension des écrits

6 Anna, Stefan, Mona et Julien sont au restaurant Associez les personnes et les desserts.

a. Anna ne doit pas manger trop de sucre. → ....
b. Stefan est allergique au chocolat. → ....
c. Mona ne mange pas de produits laitiers. → ....
d. Julien n'aime pas les fruits. → ....

Production écrite

 7 Vous recevez ce mail. Vous acceptez l'invitation, mais vous ne mangez pas certains aliments (des produits de la mer par exemple). Répondez à Inès.

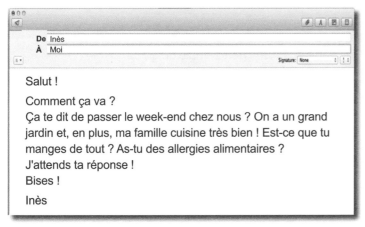

De Inès
À Moi
Signature: None

Salut !

Comment ça va ?
Ça te dit de passer le week-end chez nous ? On a un grand jardin et, en plus, ma famille cuisine très bien ! Est-ce que tu manges de tout ? As-tu des allergies alimentaires ?
J'attends ta réponse !
Bises !
Inès

De ²Moi
À ⁺Inès
Signature: None

Unité 3 – « À table ! »

4. Présentons un plat

Compréhension de l'oral 🎧 32

1 Écoutez et répondez.

a. **Vrai ou faux ?**

	Vrai	Faux
1. Les Bretons sont fiers des crêpes.	☐	☐
2. Vincent aussi est breton.	☐	☐
3. Vincent préfère le pan bagnat.	☐	☐

b. **Qu'est-ce que le pan bagnat ?**

....

c. **C'est une spécialité de quelle ville ?**
1. Brest. ☐
2. Nice. ☐
3. Paris. ☐

d. **Que préfère Sabrina ?**
1. Le macaron à la rose. ☐
2. Le macaron à la fraise. ☐
3. Le macaron à la framboise. ☐

Lexique

2 Retrouvez les mots cachés. Aidez-vous des lettres et des définitions.

a. __ I __ __ __ : tarte italienne salée recouverte de sauce, de légumes ou de viande et parfois de fromage.

b. É __ __ __ __ __ __ E __ : enlever la peau d'un fruit ou d'un légume, peler.

c. H __ __ H __ __ : couper en petits morceaux (la viande par exemple) avec un ustensile très coupant.

d. É __ __ __ I __ : gâteau allongé glacé sur le dessus et fourré à la crème.

Grammaire

3 Transformez les phrases. Utilisez l'impératif et le pronom *y* comme dans l'exemple.

Exemple : Versez la préparation dans le plat. Ajoutez des morceaux de chocolat **dans le plat**.
→ Ajoutez-**y** des morceaux de chocolat.

> ### Le clafoutis aux cerises :
> ### la recette de ma grand-mère
>
> a. Lavez bien les cerises, équeutez-les et dénoyautez-les. Versez la farine dans un saladier, **puis ajoutez le sucre et le sel dans le saladier.**
> → ....
>
> b. Mélangez les ingrédients. **Incorporez les œufs dans les ingrédients.**
> → ....
>
> c. et ajoutez peu à peu le lait et un peu de beurre fondu. Continuez à mélanger ! Beurrez généreusement le plat, **déposez les cerises dans le plat.**
> → ....
>
> d. **Versez la pâte à clafoutis dans le plat.**
> → ....
>
> e. Enfournez votre plat à 200 °C et laissez cuire 30 minutes. Servez le clafoutis tiède ou froid dans une assiette et **mettez dans l'assiette aussi une petite boule de glace à la vanille !**
> → ....

4 Associez les questions et les réponses.

a. Pourquoi tu n'enlèves pas les noyaux des cerises ?

b. Pourquoi mon gâteau est sec ?

c. Pourquoi tu ne goûtes pas au poulet rôti ?

1. Parce qu'ils donnent du goût au clafoutis.

2. Parce qu'il est trop cuit.

3. Parce que je suis végétarienne.

Compréhension des écrits

5 Lisez le document.

À LA REDÉCOUVERTE DE LA GASTRONOMIE FRANÇAISE !
Grandes journées portes ouvertes
du 5 au 8 juillet de 10 h à 15 h

Dégustation gratuite de plats typiques de nos régions : Cassoulet de Toulouse, escargots à la bourguignonne, tarte aux pommes alsacienne, charcuteries corses...

Marché typique et vente de produits régionaux : fruits, légumes, fromages, saucissons, miels, vins, biscuits...

Cours de cuisine : les recettes de nos grands-mères.

VENEZ NOMBREUX !

a. **Vrai ou faux ?**

	Vrai	Faux
1. Pendant les journées portes ouvertes, on goûte des plats français.	☐	☐
2. Les produits régionaux sont donnés.	☐	☐
3. On peut y apprendre à cuisiner.	☐	☐
4. Les participants sont nombreux.	☐	☐

b. **Quand se déroulent ces journées portes ouvertes ?**
....

c. **D'après le document, quels produits on y trouve ?**
1. Du fromage.   À ^bient^ôt
Michel☐
2. Du pain.   ☐
3. De la confiture.   ☐
4. Du miel.   ☐
5. De l'huile d'olive.   ☐
6. Des charcuteries.   ☐

6 Lisez le texte.

Petite histoire du macaron...

Plusieurs villes françaises ont fait du macaron leur spécialité, comme Nancy, Amiens ou Reims. Le macaron parisien est aujourd'hui le plus connu. Petit, rond et coloré, ce biscuit crémeux au goût d'amande est facilement reconnaissable. Apparu en Italie au Moyen-âge, les Français le dégustent pour la première fois à l'occasion du mariage de Catherine de Médicis, à la Renaissance. C'est d'abord un simple biscuit à base d'amande, de sucre et de blanc d'œuf, mais dans les années 1830, son aspect change : des pâtissiers parisiens collent ensemble deux petits biscuits fourrés de crème. C'est la naissance du macaron parisien !

a. **Vrai ou faux ?**

	Vrai	Faux
1. Le vrai macaron vient de Reims.	☐	☐
2. Le macaron parisien est le plus connu.	☐	☐
3. On trouve des macarons seulement à Paris	☐	☐

b. **À quelle occasion le macaron est apparu en France ?** ....

c. **Quels sont les ingrédients de base du macaron ?**
1. La farine. ☐   3. L'œuf. ☐   5. L'amande ☐
2. Le sucre. ☐   4. Le miel. ☐   6. Le café. ☐

Production écrite

7 Vous participez à un forum sur les produits nationaux. Vous présentez un plat typique de votre pays ou de votre région.

....
....
....
....
....
....

1 **Complétez par *du, de la, de l', des, de, d'*.**

a. Le cuisinier a utilisé 150 grammes .... farine pour faire ce gâteau.

b. Le matin, Max mange .... pain et .... confiture.

c. J'ajoute un peu .... eau à ma sauce parce qu'elle est trop épaisse

d. Dans ma famille, on consomme .... produits issus de l'agriculture biologique.

e. Nous utilisons .... huile d'olive pour assaisonner nos salades.

2 **Qu'est-ce que le cuisinier est en train de faire ? Répondez en utilisant « être en train de (+ infinitif) » et les verbes de la liste.**

monter les œufs en neige – enfourner – mélanger– étaler – verser

a. ....   d. ....

b. ....   e. ....

c. ....

3 **Conjuguez les verbes aux temps et modes demandés.**

Mes conseils pour mieux manger !
Quelques règles d'or :
a. Il .... (ne pas falloir, présent de l'indicatif) faire les courses le ventre vide !
b. .... (vérifier, impératif) les étiquettes des produits industriels !
c. .... (limiter, impératif) ta consommation de boissons sucrées !
d. .... (ne pas manger, impératif) d'aliments trop gras !
e. .... (goûter, impératif) tes plats avant d'ajouter du sel !
f. .... (boire, impératif) au moins un litre d'eau par jour !
Courage !

4 **Remettez les phrases dans l'ordre. Aidez-vous de la ponctuation.**

Exemple : poubelle. / Nous / les / dans / jetons/ la → **Nous les jetons dans la poubelle.**

a. enfourne. / l' / Julia → ....

b. la / et / Theo / préparent. / Samuel → ....

c. nous / mélangeons. / Ensuite, / les → ....

d. Tu / mets / au / le / frigo. → ....

e. étalez / l' / sur / plaque. / Vous / une → ....

5 ▸ Complétez le texte avec *en* ou *y*.

> ## VITE FAIT BIEN FAIT !
>
> Voici une recette très simple de pizza au jambon.
> Si vous n'......... mangez pas, vous pouvez remplacer par du bœuf haché.
>
> Étalez la pâte à pizza sur une plaque et piquez-la. Versez du concentré de tomates
> dans un saladier. Ajoutez-......... un peu d'eau (attention : n'......... mettez pas trop !),
> une pincée de sel et de poivre. Vous pouvez aussi ajouter un peu de crème liquide
> (moi, je n'......... ajoute pas).
>
> Étalez délicatement la sauce sur la pâte à pizza avec une cuillère. Placez-......... ensuite
> des morceaux de jambon, des champignons et des olives. Parsemez votre pizza
> de fromage râpé et enfournez-la. Laissez-la cuire à 250°C pendant 20 minutes.
>
> *C'est prêt ! Bon appétit !*

6 ▸ Remettez les phrases dans l'ordre.

a. réduire / gaspillage ! / Il / le / faut

→ ....

b. les / Il /cuisiner / restes ! / faut

→ ....

c. rassis ! / ne / pas / pain / Il / faut / le / jeter

→ ....

d. ne / Il / jeter / légumes / faut / défraîchis ! / pas / ces

→ ....

7 ▸ Associez les débuts et les fins de phrases. Attention : la phrase doit être logique !

a. Dan a mangé toute...
b. Ce restaurant est ouvert tous...
c. Tu as goûté à tous...
d. J'ai horreur de toutes...
e. Nous pensons que tout...

1. les recettes de ma vieille tante...
2. ce gaspillage alimentaire est un scandale !
3. la pizza !
4. les jours.
5. les sirops ?

8 ▸ Complétez les phrases suivantes avec *tout, tous, toute* ou *toutes*.

a. On jette plusieurs kilos de nourriture .... les jours !
b. .... ces poubelles sont pleines de déchets encore emballés...
c. Nous avons réutilisé .... la nourriture un peu abîmée du frigo pour préparer une bonne soupe.
d. Aujourd'hui, ... le monde participe à des actions pour lutter contre le gaspillage alimentaire.
e. .... les restaurants de la ville proposent maintenant des portions réduites pour les petits appétits
ou des barquettes pour y mettre les restes.
f. À la cafétéria, les repas sont moins copieux depuis quelques mois : maintenant, je mange .... le contenu
de mon assiette !

Les nasales [õ], [ã] et [ɛ̃]

1 **Quel son entendez-vous ? Cochez la bonne réponse.** 🎧 33

	[õ]	[ã]	[ɛ̃]
a.	☐	☐	☐
b.	☐	☐	☐
c.	☐	☐	☐
d.	☐	☐	☐
e.	☐	☐	☐
f.	☐	☐	☐

2 **Complétez avec *on, an, in*. Écoutez, vérifiez vos réponses et répétez.** 🎧 34

a. Je mél...........ge les tomates et les c...........combres.

b. Le mat..........., tu bois du jus d'or...........ge frais.

c. Tu connais cette boiss........... ? C'est du lait d'am...........de !

d. J'ai acheté des poivr...........s et un bouquet de cori...........dre.

e. Quels sont les ....grédients de la tarte Tat........... ?

3 **Écoutez et répétez. Soulignez le son [ã].** 🎧 35

a. Camille ne mange pas de champignons.

b. Le chef enfourne sa préparation.

c. Attention ! Maria déteste le gingembre !

d. Il est en train de monter les blancs d'œufs en neige.

e. Je suis allergique à certains aliments.

f. Les gens doivent changer de comportement !

4 **Écoutez. Combien de fois vous entendez [ɛ̃] ?** 🎧 36

a. .... fois

b. .... fois

c. .... fois

d. .... fois

e. .... fois

f. .... fois

5 **Écoutez et écrivez les phrases.** 🎧 37

a. ....

b. ....

c. ....

d. ....

e. ....

6 **Lisez les phrases suivantes le plus vite possible.**

a. Thon, temps, thym

b. Du bon pain blanc

c. Prends ton temps Constantin !

d. Un gratin de thon au thym

e. J'aime tant la tarte Tatin de ton tonton !

f. Ses cinq sens sont sensibles.

Lexique

 Retrouvez 8 aliments et boissons sucrés dans la grille.
Les mots sont cachés horizontalement (→), de gauche à droite.

U	F	E	W	Z	L	O	S	U	C	R	E	H	G
Q	H	J	N	C	O	M	P	O	T	E	Q	D	P
I	Y	K	D	E	E	M	A	C	A	R	O	N	O
M	B	A	P	D	S	O	D	A	V	K	F	Z	E
R	M	B	A	O	W	H	V	S	Q	Q	F	J	M
F	R	U	I	T	K	C	F	F	T	C	D	S
K	J	X	U	E	E	Z	U	I	K	I	P	K	S
E	L	C	D	H	D	T	E	A	H	I	E	A	A
B	J	A	M	A	N	D	E	Q	T	V	R	B	Q
P	O	Q	I	Q	N	G	D	U	A	J	B	W	I
J	I	G	A	G	T	A	R	T	E	G	P	I	C
T	B	N	P	M	K	V	W	R	A	A	Z	Z	O
K	X	X	Z	C	H	O	C	O	L	A	T	E	N
V	M	W	N	F	K	N	D	X	V	A	Z	N	D

 Remettez la recette dans l'ordre.

RATATOUILLE EXPRESS

Ingrédients : *1 oignon, 1 aubergine, 2 courgettes, 1 tomate, 2 gousses d'ail, huile d'olive, herbes de Provence, sel, poivre*

a. Ajoutez les autres légumes aux oignons. → ....

b. Une fois que la ratatouille est prête, vous pouvez la manger avec de la viande ou du poisson. → ....

c. Ensuite, dans une grosse poêle, faites revenir les oignons dans de l'huile d'olive avec du sel et du poivre. → ....

d. D'abord, lavez et coupez les légumes en morceaux. → **1**

e. Enfin, laissez cuire 20 minutes environ. Mélangez de temps en temps. → ....

f. Après, assaisonnez les légumes avec des herbes de Provence et de l'ail. Couvrez. → ....

---

3 Classez les mots de la liste dans les bonnes catégories.

jus de fruits – pizza – courgette – bûche – fraise – lait – soupe – pomme – compote – carotte

▶ fruits : ....
▶ légumes : ....
▶ plats salés : ....
▶ plats sucrés: ....
▶ boissons : ....

4 Complétez ce dialogue avec les mots liés à l'expression de l'opinion.

– À votre A __ __ __, quel est le meilleur plat français ?

– Je P __ __ __ __ que c'est le gratin dauphinois ! J'adore ça : c'est simple et gourmand...

– Ah bon ? Je ne suis pas d'accord avec toi ! Je T __ __ __ __ E que la quiche lorraine est beaucoup plus savoureuse ! En plus, c'est le plat de mon enfance !

– Ah non ! S __ __ __ __ moi, le succès de la cuisine française vient surtout de sa pâtisserie ! Alors, je C __ __ __ __ __ È __ E que le meilleur plat français est un dessert : la tarte Tatin !

Savoir communiquer par mail en français.

1 Je maîtrise les codes français de la politesse.

a. **Faut-il utiliser « Tu » ou « Vous » ?**

	Tu	Vous
1. J'écris un mail en français à un professeur de français.	☐	☐
2. J'envoie un mail en français à un ami francophone.	☐	☐
3. Je réponds à un message sur un forum francophone pour jeunes de mon âge.	☐	☐
4. J'adresse un mail en français à un club sportif, une association... Je ne sais pas qui va lire mon mail.	☐	☐

b. **Quelles expressions dans un mail formel ?**
   Associez les actions et les expressions.

   a. Pour saluer.
   b. Pour finir le mail.
   c. Pour dire merci.
   d. Pour demander de l'aide, demander un service.

   1. « Je vous remercie. »
   2. « Pouvez-vous m'aider s'il vous plaît ? »
   3. « Madame, Monsieur, »
   4. « Cordialement, »

2 Je comprends un mail en français.

a. **Je me repère dans un mail en français.**

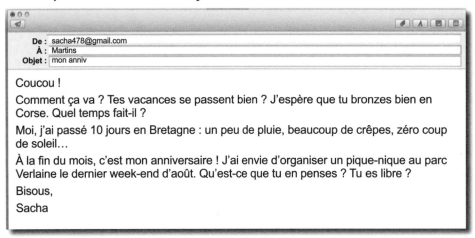

De : sacha478@gmail.com
À : Martins
Objet : mon anniv

Coucou !

Comment ça va ? Tes vacances se passent bien ? J'espère que tu bronzes bien en Corse. Quel temps fait-il ?

Moi, j'ai passé 10 jours en Bretagne : un peu de pluie, beaucoup de crêpes, zéro coup de soleil...

À la fin du mois, c'est mon anniversaire ! J'ai envie d'organiser un pique-nique au parc Verlaine le dernier week-end d'août. Qu'est-ce que tu en penses ? Tu es libre ?

Bisous,

Sacha

1. Qui est l'expéditeur du mail ? ....
2. Qui est le destinataire du mail ? ....
3. Quel est l'objet du mail ? ....

b. **J'identifie les éléments importants du mail.**
   Les informations importantes peuvent apparaître dans la partie « objet du mail » ou dans le corps du texte : attention à bien les repérer !
   1. Quelles sont les informations importantes ? ....
   2. Faut-il répondre à ce mail ? ....

3 J'écris un mail en français.

J'utilise des expressions habituelles. Associez les débuts et les fins de phrases.

   a. Comment...
   b. Merci beaucoup...
   c. Rendez-vous...
   d. Je vous prie de...
   e. Est-ce que tu peux...

   1. pour ton aide !
   2. m'envoyer le document en pièce jointe ?
   3. m'excuser.
   4. ça va ?
   5. la semaine prochaine !

Portfolio

	Oui	Pas complètement	Pas encore
Langue			
Je peux exprimer l'obligation et l'interdiction.			
Je peux donner des conseils, des instructions.			
Je peux exprimer la cause			
Je peux donner mon avis.			
J'arrive à me repérer dans les étapes d'une recette.			
J'arrive à rédiger une recette de cuisine simple.			
Grammaire			
Je sais utiliser les quantités déterminées et indéterminées.			
Je sais décrire une action continue au présent.			
Je connais le pronom y.			
Je connais plusieurs pronoms compléments directs.			
Je connais l'article indéfini tout.			
Je connais le pronom en.			
Lexique			
Je connais le nom de nombreux fruits, légumes et plats.			
Je peux dire ce que j'aime et ce que je n'aime pas.			
Je connais plusieurs verbes utilisés en cuisine.			
Je sais décrire les saveurs d'un plat.			
Phonétique			
Je distingue les nasales.			
Je prononce correctement les nasales.			
Civilisation			
Je connais plusieurs plats français typiques et leur histoire.			
J'ai conscience de l'importance de la lutte contre le gaspillage alimentaire.			
Je connais plusieurs astuces pour lutter contre le gaspillage alimentaire.			

Unité 3 – « À table ! »

Entraînement au DELF A2

Compréhension de l'oral

Vous allez entendre trois enregistrements, correspondant à trois documents différents. Pour chaque document, vous aurez : 30 secondes pour lire les questions ; une première écoute, puis 30 secondes de pause pour commencer à répondre aux questions ; une seconde écoute, puis 30 secondes de pause pour compléter vos réponses. Répondez aux questions en cochant (X) la bonne réponse ou en écrivant l'information demandée.

Exercice 1 🎧 38

Lisez les questions. Écoutez le document puis répondez.

1. Qu'est-ce que *Bio* et *Zen* ?
   a. Un magasin bio. ☐
   b. Un restaurant végétarien. ☐
   c. Un institut de beauté. ☐

2. Quand ouvre Bio et Zen ?
....

3. Qu'est-ce qu'on trouve chez Bio et Zen ?
   a. Des produits de beauté. ☐
   b. Des produits alimentaires. ☐
   c. Des plantes. ☐
   d. Des livres. ☐

4. Où se trouve Bio et Zen ?
....

5. J'ai besoin d'informations : que dois-je faire ?
   a. Aller sur le site. ☐
   b. Téléphoner. ☐
   c. Aller sur place. ☐

Exercice 2 🎧 39

Lisez les questions. Écoutez le document puis répondez.

1. Vrai ou faux ?

	Vrai	Faux
a. publicitaire.	☐	☐
b. informatif.	☐	☐
c. politique.	☐	☐

2. Quelle quantité de nourriture chaque Français jette-t-il par an ? ....

3. Le gaspillage alimentaire correspond à une perte de... :
   a. 59 euros par an. ☐
   b. 159 euros par an. ☐
   c. 509 euros par an. ☐

4. Quand a lieu la conférence ?
....

5. Où se déroule-t-elle ?
   a. Dans un établissement scolaire. ☐
   b. Dans une bibliothèque. ☐
   c. À la mairie. ☐

Exercice 3 🎧 40

Lisez les questions. Écoutez le document puis répondez.

1. Où est-ce que Nicolas suit sa formation ?
....

2. En quoi consiste la formation de Nicolas ?
   a. Des cours et de la pratique. ☐
   b. Un an d'études avant de commencer à travailler. ☐
   c. Une formation en entreprise. ☐

3. Nicolas pense que...
   a. sa formation n'est pas très concrète. ☐
   b. sa formation lui demande trop de travail. ☐
   c. sa formation est très utile. ☐

4. Quels plats Nicolas apprend à cuisiner ?
....

5. Quelle profession Nicolas souhaite exercer ?
....

Compréhension des écrits

Exercice 4

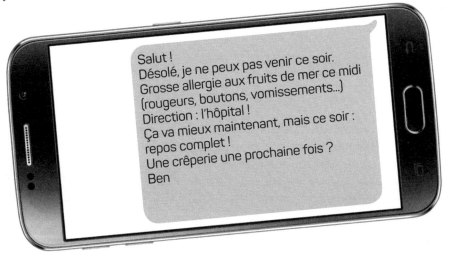

Salut !
Désolé, je ne peux pas venir ce soir.
Grosse allergie aux fruits de mer ce midi
(rougeurs, boutons, vomissements...)
Direction : l'hôpital !
Ça va mieux maintenant, mais ce soir :
repos complet !
Une crêperie une prochaine fois ?
Ben

1. Que dit le message ?
- **a.** Rendez-vous à midi. ☐
- **b.** Impossible de venir. ☐
- **c.** À ce soir ! ☐

2. Ben a fait un allergie...
- **a.** alimentaire. ☐
- **b.** à une piqûre. ☐
- **c.** au pollen. ☐

3. Quels ont été les signes de l'allergie ?
- ▶ ....
- ▶ ....
- ▶ ....

4. Maintenant, Ben...
- **a.** se sent très bien. ☐
- **b.** doit aller à l'hôpital. ☐
- **c.** a besoin de se reposer. ☐

5. Que propose Ben finalement ?
....

Exercice 5

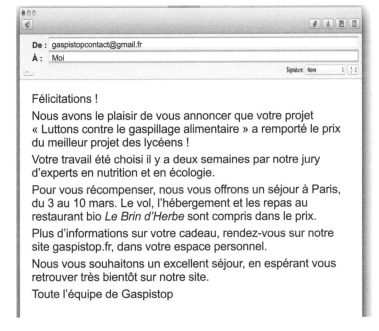

De : gaspistopcontact@gmail.fr
À : Moi
Signature: None

Félicitations !

Nous avons le plaisir de vous annoncer que votre projet
« Luttons contre le gaspillage alimentaire » a remporté le prix
du meilleur projet des lycéens !

Votre travail été choisi il y a deux semaines par notre jury
d'experts en nutrition et en écologie.

Pour vous récompenser, nous vous offrons un séjour à Paris,
du 3 au 10 mars. Le vol, l'hébergement et les repas au
restaurant bio *Le Brin d'Herbe* sont compris dans le prix.

Plus d'informations sur votre cadeau, rendez-vous sur notre
site gaspistop.fr, dans votre espace personnel.

Nous vous souhaitons un excellent séjour, en espérant vous
retrouver très bientôt sur notre site.

Toute l'équipe de Gaspistop

1. Vrai ou faux ?

	Vrai	Faux
a. Vous avez gàgné un prix pour un projet.	☐	☐
b. Vous avez été choisi pour participer à un projet.	☐	☐
c. Vous allez participer à la finale des meilleurs projets lycéens	☐	☐

2. Qui est dans le jury ?
- **a.** Des lycéens. ☐
- **b.** Des spécialistes. ☐
- **c.** Toute l'équipe de gaspistop. ☐

3. Combien de temps restez-vous à Paris ?
....

Production écrite

Exercice 6

Un(e) ami(e) fait un barbecue ce week-end. Il/Elle vous invite. Vous envoyez un mail à votre ami(e).
Vous le/la remerciez de son invitation. Vous acceptez et proposez votre aide pour la préparation du repas. (60 mots minimum).

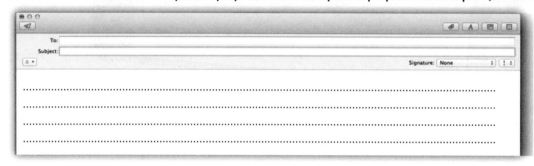

Production orale

Exercice 7
Entretien dirigé (1 minute 30 environ)

Après avoir salué votre examinateur, vous vous présentez (vous parlez de vous, de votre famille, de vos amis, de vos études, de vos goûts, des animaux que vous aimez, etc.).

Exercice 8
Monologue suivi (2 minutes environ)

Vous tirez au sort deux sujets et vous en choisissez un. Vous vous exprimez sur le sujet. L'examinateur peut ensuite vous poser des questions pour vous aider.

Sujet 1   *Le déjeuner*
Où avez-vous l'habitude de manger à midi ?
Avec qui mangez-vous ? Qu'est-ce que vous aimez manger à cette heure de la journée ?

Sujet 2   *Cuisiner*
Est-ce que vous savez cuisiner ? Avez-vous l'habitude d'aider votre famille lors de la préparation du repas ?
Qu'est-ce que vous savez vous faire à manger quand vous êtes seul ?

Exercice 9
Exercice en interaction (3 à 4 minutes environ)

Vous tirez au sort deux sujets et vous en choisissez un. Vous devez simuler un dialogue avec l'examinateur afin de résoudre une situation de la vie quotidienne. Vous montrez que vous êtes capable de saluer et d'utiliser des règles de politesse.
Dans certains sujets, le genre masculin est utilisé pour alléger le texte. Vous pouvez naturellement adapter la situation en adoptant le genre féminin.

Sujet 1   *À la cantine*
Vous êtes en France, dans un lycée français.
C'est l'heure du déjeuner. Vous entrez dans la cantine et demandez ce qu'il y a à manger. Vous choisissez votre repas.

Sujet 2   *Restaurant en France*
Vous êtes en vacances en France. Vous avez envie d'aller au restaurant avec un ami francophone.
Vous lui posez des questions sur les restaurants qu'il connaît, les plats, les tarifs, les horaires, etc.

Unité 4 ON SORT ?

1. Préparons une sortie entre amis

Compréhension de l'oral 🎧 41

1 **Vrai ou faux ?**

	Vrai	Faux
a. Manon aime beaucoup lire.	☐	☐
b. Maxime n'aime pas le sport.	☐	☐
c. Chloé joue de la musique.	☐	☐
d. Chloé joue du piano.	☐	☐
e. Chloé a arrêté le piano.	☐	☐
f. Chloé va commencer le piano.	☐	☐

2 **Répondez aux questions.**

a. **Quelles activités Manon pratique ?**
1. Elle fait du judo. ☐
2. Elle fait de la danse classique. ☐
3. Elle nage. ☐
4. Elle court. ☐
5. Elle fait du skateboard. ☐
6. Elle fait de la boxe. ☐

b. **Quelles activités manquent ?**
▶ ....
▶ ....

c. **Qu'est-ce que Maxime aime lire ?**
1. Des livres policiers, des romans d'espionnage. ☐
2. Des romans historiques, des livres d'aventure. ☐
3. Des bandes dessinées, des *comics*. ☐

Lexique

3 **Complétez le texte avec les mots de la liste.**
skateboard – concerts – activités – basket – batterie – VTT

Cet été, vous n'allez pas vous ennuyer !

Notre centre de loisirs propose un grand nombre
d'................................. pour les 15-18 ans.

Soyez sport !
Au programme : des sports d'équipe ! Foot, rugby,
.... hand et... foot bulle ! Vous allez adorer !

Des sensations fortes !
Venez faire du kayak et du ....
en pleine nature !

Ça roule !
Roulez dans un espace urbain spécialement aménagé
pour les fans de .... et de BMX !

Musique !
Apprenez à jouer d'un instrument ! Initiation à la guitare,
à la .... et au piano pour toutes et tous !

Plein les yeux et plein les oreilles !
Profitez de nos spectacles d'été : ....
de rock, d'électro et de rap, stand up d'humoristes...

Grammaire

4 **Conjuguez les verbes en gras au futur proche comme dans l'exemple.**

Exemple : Je fais du BMX ce week-end. → Je **vais faire** du BMX ce week-end.

a. Nous **passons** l'après-midi à l'espace loisirs. → ....
b. Demain soir, j'**assiste** au concert des XYZ. → ....
c. Samedi, Marianna **prend** un verre avec ses copines →. ....
d. Pendant les prochaines vacances, tu **apprends** la guitare ! → ....
e. Le nouveau centre de loisirs **ouvre** dans un mois. → ....

Compréhension des écrits

5 Nous sommes vendredi. Vous découvrez l'application *On pourrait sortir ?*
Observez la page d'accueil.

On pourrait sortir ?

La nouvelle appli pour connaître les bons plans et se faire des amis !
Inscrivez-vous gratuitement et participez aux propositions de sorties !

| Accueil | 14 864 membres actifs | Aujourd'hui 178 propositions de sorties |

Les dernières propositions de sorties

On pourrait... se faire un ciné ?

Audrey : « Le dernier *Spiderman* sortira dans deux jours !
Il y a une séance à 21 h 15, ça vous dit ? »

On pourrait... prendre un verre ?

Vic : « Qui aimerait aller boire un verre ce soir au café *Chez Martin*
place de la Comédie pour fêter la fin des examens ? »

On pourrait... aller voir un match ?

Alex « Basket : les Grizzlis joueront contre les Pumas !
Rendez-vous demain au gymnase à 18 h ! »

a. **Vrai ou faux ?**

	Vrai	Faux
1. *On pourrait sortir ?* est une application de rencontres amoureuses.	☐	☐
2. Grâce à *On pourrait sortir ?* on se fait des amis.	☐	☐
3. Les utilisateurs de *On pourrait sortir ?* font des propositions de sorties.	☐	☐
4. *On pourrait sortir ?* informe ses utilisateurs de l'actualité.	☐	☐
5. Les utilisateurs de *On pourrait sortir ?* peuvent répondre aux propositions de sorties.	☐	☐

b. **Que faut-il faire pour participer ?** ....

c. **On a lancé combien de sorties aujourd'hui ?** ....

d. **Vous n'êtes pas disponible ce soir. À quelle sortie ne pouvez-vous pas participer ?**
   1. Aller au cinéma. ☐   2. Prendre un verre. ☐   3. Aller voir un match de basket. ☐

e. **Quand sort le prochain *Spiderman* ?** ....

Production écrite

6 Vous devenez membre de *On pourrait sortir ?* et vous répondez à la proposition d'Audrey. Vous lui posez
des questions au futur simple (heure et lieu de rendez-vous) et vous proposez une activité avant le cinéma.

....
....
....
....
....
....
....

2. Pratiquons des activités

Compréhension de l'oral 🎧 42

1 Vrai ou faux ?

	Vrai	Faux
a. Tom anime une émission le samedi.	☐	☐
b. David anime une émission avec Zack.	☐	☐
c. Tom anime une émission d'électro.	☐	☐
d. L'émission de Lili passe le mercredi.	☐	☐

2 Répondez aux questions.

a. **Quel style de musique entend-on dans l'émission de Lili ?**
1. De la pop et du rock. ☐
2. De l'électro. ☐
3. Du rap. ☐

b. **Quelle est la fréquence de la radio Hashtag FM ?** ....

c. **Combien de temps dure l'émission de Yann ?** ....

Lexique

3 Complétez la grille de mots croisés avec les mots de la leçon.

Horizontal
3. Sport pratiqué avec un ballon ovale.
4. Temps libres, distraction.
6. Bande dessinée japonaise.
7. Objet utilisé pour faire de la musique (guitare, piano, etc.)

Vertical
1. Genre, catégorie.
2. Entraînement sportif, exercices physiques pour développer sa force.
3. Style musical de l'univers du hip-hop, au rythme saccadé.
5. Genre musical originaire de la Jamaïque.

4 Classez les habitudes d'Émilie de la moins fréquente (1) à la plus fréquente (5).

a. Elle va parfois à des concerts. → ....
b. Elle consulte toujours son portable. → ....
c. Elle lit rarement des bandes dessinées. → ....
d. Elle ne joue jamais aux jeux vidéos. → ....

Grammaire

5 Complétez les phrases avec *qui, que/qu', où*.

a. Le *heavy metal*, c'est le style de musique .... je préfère...
b. L'homme .... passe à la télé est mon entraineur de basket !
c. La salle .... le concert a lieu est vraiment immense !
d. Quel est le genre de musique .... tu écoutes le plus souvent ?
e. C'est le parc .... je cours tous les dimanches.
f. XYZ est un groupe ....Isa a découvert sur hashtag FM.

Compréhension des écrits

 6 Lisez l'article et répondez aux questions.

ENQUÊTE SUR LES GOÛTS MUSICAUX DES JEUNES FRANÇAIS

La musique a une place importante dans la vie des jeunes. Ils ne jouent pas tous d'un instrument, mais écouter de la musique est l'un des premiers loisirs des Français âgés entre 15 et 25 ans. Ils en écoutent tous les jours au moins deux heures. Rock, reggae, rap, variété, électro...

Ils apprécient des genres musicaux très variés !

Les jeunes ont une préférence pour le rap (c'est le cas de presque 25 % des jeunes interrogés). Le rock a également beaucoup de succès (20 %), suivi par la musique électronique (18 %) et le reggae (20 %).

En revanche, seulement 10 % des 15-25 ans apprécient la variété française. Et la musique classique, elle ne plaît qu'à 7 % des 15-25 ans.

a. Vrai ou faux ? Cochez la bonne réponse.

	Vrai	Faux
1. En France, les jeunes jouent tous d'un instrument.	☐	☐
2. Les jeunes Français adorent la musique.	☐	☐
3. Les 15-25 ans écoutent tous le même style de musique.	☐	☐

b. D'après l'article, à quelle fréquence écoutent-ils de la musique ? ....

c. Quel est le style de musique que les jeunes Français écoutent le plus ?
1. Le rap. ☐   2. Le rock. ☐   3. L'électro. ☐

d. Quel genre musical aiment 10 % des jeunes Français interrogés ? ....

Production écrite

7 Vous participez à un forum sur le thème de la musique. Vous expliquez à quelle fréquence vous écoutez de la musique, quels sont les styles que vous préférez et pourquoi.

Quels sont vos styles de musique préférés ? Rock ? Hip-hop ? Électro ?

....

....

....

....

....

....

3. Analysons les résultats d'une enquête

Compréhension de l'oral 🎧 43

1 **Écoutez et répondez.**

a. À quoi les jeunes consacrent le plus de temps ?
1. À surfer sur Internet. ☐
2. À faire des selfies. ☐
3. À écouter de la musique. ☐

b. Quel pourcentage de jeunes va tous les jours sur des réseaux sociaux ?
1. Un peu moins de 90 %. ☐
2. 90 %. ☐
3. Un peu plus de 90 %. ☐

c. Quel programme les jeunes aiment regarder ?
▶ ....
▶ ....

d. Selon la journaliste, qu'est-ce qui incite les jeunes à lire ?
▶ ....
▶ ....

2 **Vrai ou faux ?**

	Vrai	Faux
a. Les jeunes ne regardent plus la télévision.	☐	☐
b. Les jeunes regardent plus la télévision qu'avant.	☐	☐
c. Les filles font moins de sport que les garçons.	☐	☐
d. Les jeunes lisent plus qu'avant.	☐	☐

Grammaire

3 **Observez le document. Complétez les phrases avec les comparatifs.**

Activités préférées des 15-18 ans

60 %
55 %
■ Filles
■ Garçons
15 %
10 %
20 %
5 %
20 %
15 %

Écouter de la musique
Aller sur les réseaux sociaux
Lire (roman, BD, etc.)

a. Les garçons sont .... sportifs .... les filles.

b. Les filles écoutent .... de musique .... les garçons.

c. Les garçons lisent .... les filles.

d. Les garçons font .... de sport .... les filles.

e. Les filles vont .... sur les réseaux sociaux .... les garçons.

4 **Complétez le dialogue avec *ne / n'... plus*, *ne / n'... jamais* et *ne / n'... personne*.**

– Salut ! On fait une enquête sur les loisirs des lycéens ! On peut te poser quelques questions ?

– Oui bien sûr !

– Tu vas souvent sur les réseaux sociaux ?

– Oui, je vais régulièrement sur YouTube et Snapchat, mais je ...... vais .... sur Facebook.

– Est-ce que tu es « hyperconnectée » ? Est-ce que tu envoies des messages à tes amis tout le temps ?

– Non, après 22 heures, je .... envoie de message à ...., je dors !

– Après le lycée, est-ce que tu fais du sport ?

– Non, j'ai fait du volleyball au collège, mais maintenant, je .... ai .... le temps d'en faire !

– Il y a un club de volleyball au lycée ! Tu ne veux pas t'inscrire ?

– Je sais, mais je .... connais .... dans ce club. Je préfère passer du temps avec mes amis.

– Tu vas au cinéma ?

– Non, je .... ai .... besoin d'aller au cinéma : je suis abonnée à Netflix maintenant !

Compréhension des écrits

 Lisez le document et répondez aux questions.

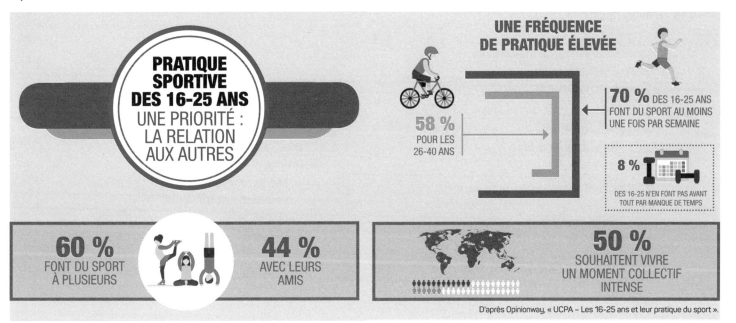

D'après Opinionway, « UCPA – Les 16-25 ans et leur pratique du sport ».

a. **Vrai ou faux ?**

	Vrai	Faux
1. Les jeunes font rarement du sport.	☐	☐
2. Les jeunes font souvent du sport.	☐	☐
3. Les jeunes ne font plus de sport.	☐	☐
4. La majorité préfère les sports collectifs.	☐	☐
5. Les jeunes font moins de sport que les plus âgés.	☐	☐
6. La moitié des jeunes interrogés veulent pratiquer un sport physique.	☐	☐
7. La moitié des jeunes interrogés font du sport avec leurs amis.	☐	☐

b. **Pour quelle raison certains jeunes ne font pas sport ?** ....

Production écrite

 Répondez au questionnaire.

Sondage : les loisirs et vous

a. **À quelle fréquence regardez-vous la télévision ?**
   ► Je regarde la télé tous les jours. ☐
   ► Je regarde la télé plusieurs fois par semaine. ☐
   ► Je ne regarde jamais la télé. ☐

b. **Quels sont vos programmes préférés ? Pourquoi ?**
   ....
   ....

c. **À quelle fréquence lisez-vous (des romans, des BD, etc.) pour votre plaisir ?**
   ► Je lis plusieurs fois par semaine. ☐
   ► Je lis une fois par mois. ☐
   ► Je lis moins d'une fois par mois. ☐

d. **Que préférez-vous lire ? Pourquoi ?**
   ....
   ....

e. **Est-ce que vous faites du sport ?**
   ► Oui, j'en fais plusieurs fois par semaine. ☐
   ► Oui, j'en fais une fois par semaine. ☐
   ► Non, je n'en fais jamais. ☐

f. **Quelles sont vos activités préférées ? Pourquoi ?**
   ....
   ....
   ....
   ....

Unité 4 – « On sort ? »

4. Découvrons des activités originales

Compréhension de l'oral 🎧 44

1 Vrai ou faux ?

	Vrai	Faux
1. La journaliste présente trois sports.	☐	☐
2. La journaliste parle de trois loisirs.	☐	☐
3. La journaliste interviewe trois champions	☐	☐

2 Écoutez et répondez.

a. **Où peut-on pratiquer le bloc ?**
   1. Sur un terrain. ☐
   2. En montagne. ☐
   3. Dans une salle. ☐

b. **Qu'est-ce que le cosplay ?**
   1. Un nouveau sport qui vient des États-Unis. ☐
   2. Une activité très physique mais pas dangereuse. ☐
   3. Un loisir qui consiste à se déguiser. ☐

c. **D'où vient le kin-ball ?** ....

d. **Pourquoi est-ce original ?**
   1. Les joueurs portent des costumes de BD. ☐
   2. Le ballon est très gros. ☐
   3. Le ballon ne doit pas toucher le sol. ☐

e. **Quel âge a Franck Huchet ?** ....

Lexique

3 Retrouvez 10 mots de la leçon dans la grille. Les mots sont cachés horizontalement (→) de gauche à droite.

T	E	N	D	A	N	C	E	O	T	F	E	Z	I
T	J	E	U	Y	P	U	C	H	F	A	A	J	B
C	O	M	P	E	T	I	T	I	O	N	T	Y	A
O	S	H	O	M	R	R	R	O	E	W	O	H	L
A	F	E	J	G	E	T	E	R	R	A	I	N	E
P	W	F	Y	B	Q	E	Z	K	G	I	I	C	L
C	C	Y	S	A	L	L	E	X	F	J	C	E	U
U	I	C	H	A	M	P	I	O	N	N	Y	Q	Q
B	A	L	L	O	N	U	C	Y	I	C	E	E	A
C	I	P	E	R	S	O	N	N	A	G	E	N	R
A	C	O	S	T	U	M	E	R	N	V	Q	J	Y
K	G	E	Y	S	I	Q	O	F	A	D	H	B	A
M	I	A	L	Z	R	U	I	T	K	V	X	P	T

Grammaire

4 Répondez négativement aux questions comme dans l'exemple.

Exemple : **Vous écoutez toujours la musique de XYZ ?** → Non, je n'écoute plus la musique de XYZ.

a. Vous jouez parfois aux jeux vidéo en ligne ?
   → ....

b. Vous fréquentez encore le même club de sport ?
   → ....

c. Vous connaissez quelqu'un dans cette équipe ?
   → ....

d. Vous aimez encore le chanteur Jason Solomos ?
   → ....

e. Vous courez parfois au parc Albert Camus ?
   → ....

Compréhension des écrits

 Lisez le document.

LE « PARKOUR » : ZÉRO LIMITE !

Se déplacer le plus vite possible dans un espace urbain, grimper et réaliser des sauts : voilà le principe du « parkour* » ! Ce sport spectaculaire est devenu un véritable phénomène au début des années 2000 grâce au vidéos postées sur YouTube et au film de Luc Besson *Yamakasi*. Il connaît un succès grandissant ces dernières années : on compte plus d'un millier d'adeptes en France !

Attention : le parkour exige une grande endurance physique et beaucoup d'entraînements avec des professionnels, car il est très technique et qu'il peut être dangereux « *Je m'entraîne plusieurs fois par semaine parce qu'il faut bien maîtriser les bases.* » explique Nicolas, 17 ans. Ce sport est accessible à tous, mais il faut être âgé de 14 ans minimum pour commencer à le pratiquer à l'extérieur du gymnase.

Cette semaine, des professionnels vont présenter leur discipline aux Marseillais les plus curieux. La rencontre aura lieu dans la Maison des jeunes et de la culture près du Vieux Port. Au programme : démonstration et cours d'initiation !

* « parkour » n'existe pas dans les dictionnaires de français.

Plus d'information : parkourmarseille.fr

a. **Qu'est-ce que le « parkour » ?**
   1. Le « parkour » est un sport pratiqué en ville. ☐
   2. Le « parkour » est un sport pratiqué en pleine nature. ☐
   3. Le « parkour » est un sport pratiqué à la montagne. ☐

b. **Qu'est-ce qui a rendu le « parkour » célèbre ?**
   ▶ ....
   ▶ ....

c. **Combien de personnes pratiquent le « parkour » en France ?** ....

d. **Vrai ou faux ?**

	Vrai	Faux
1. Le « parkour » est un sport très physique.	☐	☐
2. Les bases du « parkour » sont rapides à acquérir.	☐	☐
3. Le « parkour » ne présente aucun danger.	☐	☐
4. La pratique du « parkour » en ville est réservée aux plus de 14 ans.	☐	☐

e. **Quel événement va se dérouler à Marseille ?**
   1. Une compétition de « parkour ». ☐
   2. L'ouverture d'une école de « parkour ». ☐
   3. Une présentation du « parkour ». ☐

Production écrite

 Vous appartenez à un club d'activités urbaines. Lisez les informations puis rédigez une page pour le site du club. Présentez vos activités et invitez les gens à venir et à vous rencontrer.

Activités pratiquées au club
- initiation aux techniques de graff
- cours de danse (hip hop)
- cours de parkour (à partir de 14 ans)
- cours de skateboard
- cours de rap

Frais d'inscription
20 euros
Gratuit pour les moins de 10 ans

Adresse
24 rue Serge Gainsbourg

Contact
clubsportderue@gmail.com

....
....
....
....
....
....

1 **Conjuguez les verbes des phrases aux temps demandés.**

a. Le match .... (avoir, futur simple) lieu le week-end prochain.

b. Émilie et moi .... (vouloir, conditionnel présent) prendre des cours de batterie.

c. Vous .... (savoir, futur simple) bientôt jouer comme des professionnels !

d. Je .... (se rendre, futur proche) à un concert demain soir.

e. Tu .... (pouvoir, conditionnel présent) regarder un peu la télé pour te détendre ?

f. Vincent et Alexandre .... (répondre, futur simple) à notre invitation dans quelques jours.

2 **Remettez les phrases dans l'ordre.**

a. ira / prochain. / On / cinéma / le / au / week-end → ....

b. au / J' / aller / centre / aimerais / commercial. → ....

c. rejoindre / une / Pascal / dans / va / heure. / Simon → ....

d. basket ? / pourrait / au / On / jouer → ....

e. nous / Jérémie / avec / dimanche. / viendra → ....

f. après / cours. / Mark / écouter / la / va / musique / de / les → ....

3 **Mark a répondu à une enquête sur ses habitudes. Rédigez les phrases en vous aidant des résultats, comme dans l'exemple.**

Exemple : a. **Mark va parfois au cinéma.**

b. ....

c. ....

d. ....

e. ....

	Tout le temps	Souvent	Parfois	Rarement	Jamais
a. Vous allez au cinéma :	☐	☐	☑	☐	☐
b. Vous écoutez de la musique :	☑	☐	☐	☐	☐
c. Vous jouez aux jeux vidéo :	☐	☐	☐	☐	☑
d. Vous faites du sport :	☐	☑	☐	☐	☐
e. Vous lisez des bandes dessinées :	☐	☐	☐	☑	☐

4 **Nous sommes lundi, il est midi. Observez l'emploi du temps de Thomas. Répondez aux questions comme dans l'exemple.**

Lundi	17 h-18 h 30 : cours de basket
Mardi	16 h-17 h 30 : cours de guitare
Mercredi	15 h 30 : rendez-vous avec Antoine
Vendredi	19 h : concert des XYZ !!!

Exemple : **Que fera Thomas cet après-midi ?** → Cet après-midi, Thomas ira à son cours de basket.

a. Quand aura lieu le cours de guitare de Thomas ? → ....

b. Combien de temps durera le cours de guitare ? → ....

c. Que fera Thomas après-demain ? → ....

d. Que se passera-t-il dans quatre jours ? → ....

5 **Associez les débuts et les fins de phrases.**

a. Le sport que
b. Voilà le gymnase où.
c. C'est l'équipe de Laure qui
d. Zoé et Lydie, qui
e. Benjamin a accepté l'invitation qu'

1. Elisabeth lance sur Facebook.
2. a gagné le match !
3. je pratique est dangereux.
4. Greg s'entraîne deux fois par semaine.
5. ont un cours de danse, nous rejoindront plus tard.

6 **Maxime et Eva ont participé à une enquête sur les loisirs des lycéens. Observez puis complétez les phrases avec *le plus* ou *le moins*.**

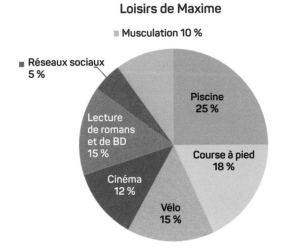

Loisirs de Maxime

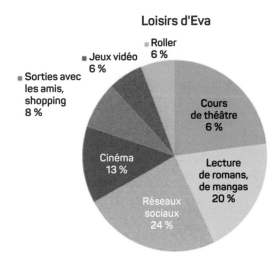

Loisirs d'Eva

a. Maxime est .... sportif.
b. Eva est celle qui utilise .... les réseaux sociaux.
c. C'est Eva qui va .... au cinéma.
d. C'est Maxime qui lit ....

7 **Associez les sujets et les verbes conjugués au futur simple.**

a. Je
b. Natalia
c. Nous
d. Vous
e. Gabriel et Romain

1. serons bientôt en vacances !
2. ne pourrai pas venir, désolé !
3. arrivera vers 17 h.
4. mangeront avec nous.
5. irez au concert ?

8 **Retrouvez les infinitifs des verbes de l'exercice 7.**

a. → ....
b. → ....
c. → ....
d. → ....
e. → ....

Unité 4 – « On sort ? »

Les sons [ʃ] et [ʒ]

1 Écoutez. Vous entendez le son [ʃ] ou le son [ʒ] ? Cochez la bonne case. 🎧 45

	[ʃ]	[ʒ]
a.	☐	☐
b.	☐	☐
c.	☐	☐
d.	☐	☐
e.	☐	☐
f.	☐	☐

2 Écoutez et soulignez le son [ʒ]. 🎧 46

a. Il jouera un match en janvier.
b. Gérald ne changera jamais !
c. Je ferai de la gymnastique jeudi.
d. Nous déjeunons avec Georges.

3 Vous avez entendu quel mot ? Cochez la bonne réponse. 🎧 47

a. chaque	☐	Jacques	☐
b. chant	☐	gens	☐
c. bouche	☐	bouge	☐
d. choix	☐	joie	☐
e. cache	☐	cage	☐
f. boucher	☐	bouger	☐

4 Dans quel mot la lettre « g » se prononce [ʒ] ? Cochez la bonne réponse. Écoutez et vérifiez vos réponses. 🎧 48

a. gagner ☐
b. goût ☐
c. nage ☐
d. guitare ☐
e. blog ☐

5 Écoutez les phrases lues et complétez avec « ch » ou « g ». 🎧 49

a. On man.........e ....ez ....arles ?
b. Il y a un messa.........e pour Sa.........a.
c. An..........élique cher.........e un sta.........e.
d. C'est un personna.........e ori.........inal.
e. Tu aimes la ....anson de ....illes ?
f. ....imène, tu as quel â.........e .... ?

6 Lisez ces phrases le plus vite possible.

a. Bonjour cher Georges !
b. Jacques chante chaque jour.
c. Charles enregistre un message.
d. Le personnage change de visage.
e. Joshua change de chaîne.
f. Je cherche mon short de gym.

Lexique

1 Classez les mots dans les bonnes catégories.

guitare – manga – reggae – batterie – VTT – électro – piano – roman – metal – roller – bande dessinée – équitation

▸ Sports : ....
▸ Genres musicaux : ....
▸ Instruments de musique : ....
▸ Genres littéraires : ....

2 Retrouvez les mots à l'aide des lettres et des définitions données.

a. T __ __ __ S   L __ __ __ E : Moments réservés au repos, à la détente, aux loisirs.
b. T __ __ __ __ I __ I __ __ : Média qui transmet des programmes destinés à l'information ou à la distraction.
c. G __ A __ __ __ __ R : Artiste qui réalise des dessins à la bombe de peinture sur les murs ou les trottoirs.
d. V __ __ __ É __ É : Genre de musique destiné à un large public

3 Associez les mots et expressions qui ont le même sens.

a. boutique   1. loisirs
b. passe-temps   2. portable
c. genre   3. match
d. compétition   4. magasin
e. téléphone   5. style

4 Complétez la grille de mots croisés.

Horizontal
6. Événement festif et artisitique.
4. Exercice régulier avant un match ou un examen.
5. Lieu où l'on regarde des films.

Vertical
1. Sport de glisse qu'on pratique avec une planche à roulettes.
2. Sport collectif très populaire qui oppose deux équipes de 11 joueurs.
3. Lieu où on admire les comédiens.

5 Complétez le texte avec les mots de la liste.

activité – écrans – loisirs – natation – gymnase – moins – sportifs – réseaux sociaux

.... **des jeunes Français :
plus de temps sur les écrans qu'au gymnase !**

Les résultats de notre enquête montrent que les jeunes Français ne sont pas assez ....
En dehors des cours d'éducation physique et sportive pratiqués au collège ou au lycée, les jeunes ne bougent pas
beaucoup ! La cause de ce phénomène ? Les .... ! Cette génération hyperconnectée
n'a plus le temps de se rendre au stade pour courir ou au .... pour s'entraîner : dès
la fin des cours, les lycéens vont sur les ...., jouent aux jeux vidéo et regardent les
vidéos de YouTube pour s'évader... C'est une erreur parce que le sport est l' ....
idéale pour déstresser : après une heure de marche ou de ...., nos problèmes nous
paraissent .... importants !

Unité 4 · Apprendre à apprendre

Comment se familiariser avec la « musique » du français ?

1 **J'écoute l'accentuation.**

En français, on accentue ou on allonge la dernière syllabe (c'est-à-dire la dernière voyelle prononcée).
Attention : on n'accentue pas la voyelle -e finale n'est pas prononcée ! Observez les exemples. (Les syllabes accentuées sont en gras, et on ne prononce pas les e entre parenthèses)
A-le-xan-**dra**   u-n(e)ac-ti-vi-té in-té-re-**ssant(e)**   Nous-ré-pon-dons-à-un-ques-tio-**nnair(e)**

Écoutez, répétez et entourez toute la syllabe accentuée.
- a. Je m'appelle Alexandra.
- b. Tu fais du sport deux fois par semaine.
- c. Ces élèves de terminale habitent à Montréal.
- d. Nous réalisons une enquête sur les loisirs des lycéens.

2 **Je reconnais l'intonation.**

L'intonation est très importante : elle aide à comprendre le sens de la phrase. L'intonation aide souvent à faire la différence entre une information (phrase affirmative) et une question (phrase interrogative). L'intonation donne aussi des informations sur le sentiment de la personne qui parle. On peut prononcer une seule de phrase de plusieurs façons, cela dépend du sentiment éprouvé par la personne : joie, colère, tristesse, surprise...

a. Écoutez « Ah ! » prononcé avec des intonations différentes. Répétez.
1. « Ah ? » (surprise)
2. « Ah ! » (colère)
3. « Ah ! » (tristesse)

b. Retrouvez les sentiments exprimés.

	Admiration	Tristesse	Colère	Suprise
Phrase 1.	☐	☐	☐	☐
Phrase 2.	☐	☐	☐	☐
Phrase 3.	☐	☐	☐	☐
Phrase 4.	☐	☐	☐	☐

c. Écoutez les phrases et retrouvez ce qu'elles expriment.
1. Affirmation   → phrase n° ....
2. Question   → ....
3. Surprise   → ....
4. Colère   → ....

3 **Je fais attention aux pauses.**

On fait une petite pause à la fin de chaque phrase. Ça indique que l'information est finie. Dans une phrase, quand plusieurs mots vont ensemble, on fait une petite pause après.

Écoutez les phrases et faites attention aux pauses. Puis découpez les groupes de mots comme dans l'exemple.
Exemple : a. Julia et Nathan / sont dans la même classe.

- a. Je vais à la salle de sport une fois par semaine.
- b. Le week-end prochain, nous irons au bowling.
- c. Ce chanteur, qui a beaucoup de succès, fera un concert dans un mois.
- d. Ça te dirait de faire du shopping ?
- e. Un ciné après ça te dit ?

4 **Dernier conseil : imitez !**

Pour vous familiariser avec la musique de la langue française... imitez les Français ! Exagérez, moquez-vous de leur accent ! Cela va vous aider à progresser !

Portfolio

	Oui	Pas complètement	Pas encore
Langue			
Je peux parler d'un programme d'activités.			
Je peux émettre un souhait.			
Je peux faire une suggestion.			
Je peux accepter une proposition.			
J'arrive à fixer un rendez-vous.			
J'arrive à me situer dans le temps.			
Je peux interroger quelqu'un sur ses habitudes et ses goûts.			
Je peux parler de mes habitudes, de mes goûts.			
Grammaire			
Je sais conjuguer les verbes au futur proche et au futur simple.			
Je connais le conditionnel présent.			
Je sais exprimer la fréquence, l'habitude.			
Je connais les pronoms relatifs qui, que et où.			
Je connais les comparatifs et les superlatifs.			
Je sais utiliser ne...plus, ne... jamais, ne... personne.			
Lexique			
Je connais le vocabulaire des activités de loisirs.			
Je connais du vocabulaire lié aux sports.			
Je connais du vocabulaire lié à la musique.			
Phonétique			
Je distingue les sons [ʃ] et [ʒ].			
Je prononce correctement [ʃ] et [ʒ].			
Civilisation			
Je connais les goûts et les habitudes des jeunes Français.			
Je connais plusieurs artistes et sportifs français.			

Compréhension de l'oral

Vous allez entendre trois enregistrements, correspondant à trois documents différents. Pour chaque document, vous aurez : 30 secondes pour lire les questions ; une première écoute, puis 30 secondes de pause pour commencer à répondre aux questions ; une seconde écoute, puis 30 secondes de pause pour compléter vos réponses. Répondez aux questions en cochant (X) la bonne réponse ou en écrivant l'information demandée.

Exercice 1 🎧 55

Lisez les questions. Écoutez le document puis répondez.

1. **Qu'est-ce que *Sportif 3000* ?**
   a. Un magasin de sport. ☐
   b. Un club de sport. ☐
   c. Une association de sportifs. ☐

2. **Que célèbre-t-on à Sport 3000 ?**
   a. L'anniversaire de *Sport 3000*. ☐
   b. L'ouverture de Sport 3000. ☐
   c. La fête du sport. ☐

3. **Quels articles sont à −40 % ?**
   ....

4. **Quels articles ne sont pas en promotion ?**
   a. Les tenues de danse. ☐
   b. Les chaussures de sport. ☐
   c. Les maillots de bain. ☐

5. **Ces offres sont valables...**
   a. jusqu'à 19 h. ☐
   b. seulement cette semaine. ☐
   c. ce week-end. ☐

Exercice 2 🎧 56

Lisez les questions. Écoutez le document puis répondez.

1. **Que sont *Les Zèbres* ?**
   a. Une équipe de foot. ☐
   b. Un club de sport. ☐
   c. Un grand magasin. ☐

2. **Quel sport enseigne M. Gavras ?**
   a. Le tennis. ☐
   b. Le foot. ☐
   c. Le basket. ☐

3. **Que dit le message ?**
   a. M. Gavras ne donnera pas cours aux horaires habituels ☐
   b. M. Gavras ne sera pas là vendredi prochain. ☐
   c. Il y aura un match la semaine prochaine. ☐

4. **Que faut-il faire ?**
   a. Contacter M. Gavras. ☐
   b. Appeler *Les Zèbres*. ☐
   c. Envoyer un mail à Nicolas Manos. ☐

Exercice 3 🎧 57

Lisez les questions. Écoutez le document puis répondez.

1. **De quel instrument n'apprend-on pas à jouer dans cette école ?**
   a. Le piano. ☐
   b. La batterie. ☐
   c. Le violon ☐

2. **Qui sont les professeurs de *Dorémi* ?**
   a. D'anciens élèves de l'école. ☐
   b. Des musiciens excellents. ☐
   c. De célèbres stars de la télévision ☐

3. **Quand ont lieu les cours ?**
   ....

4. **Quelle est la condition pour s'inscrire à *Dorémi* ?**
   a. Il faut connaître le solfège. ☐
   b. Il faut avoir entre 12 et 18 ans. ☐
   c. Il faut habiter à Bordeaux. ☐

5. **Que peut-on faire sur le site de *Dorémi* ?**
   ▶ ....
   ▶ ....

Compréhension des écrits

Exercice 4

De : Juliette
À :

Signature: None

Proposition de sortie !
Salut les amis !
Ça vous dit d'aller au festival de Lyon ce week-end ? Ça commencera vendredi à 21 heures avec la reine du reggae Carla Kurt et ses musiciens. Samedi, en fin d'après-midi, il y aura un grand concert électro des Lions de Lyon suivi d'un spectacle de danse hip hop. La soirée se terminera avec un concours de rap amateurs ! Le pass week-end est à 15 euros seulement !
On pourrait y aller vendredi après-midi et passer le week-end là-bas ?
Ma cousine Sofia habite à Lyon. Elle pourra venir nous chercher à la gare et nous héberger vendredi et samedi soir.
Qu'est-ce que vous en pensez ? J'attends vos réponses !
Gros bisous,
Juliette

1. Quel est le genre musical des Lions ?
....

2. Quand se déroulera le concours de rap amateur ?
....

3. Comment Juliette et ses amis iront à Lyon ?
   a. En voiture.   ☐
   b. En train.   ☐
   c. En avion.   ☐

4. Où dormiront Juliette et ses amis ?
....

5. Combien de nuits ils passeront à Lyon ?
   a. 1.   ☐
   b. 2   ☐
   c. 3.   ☐

Exercice 5

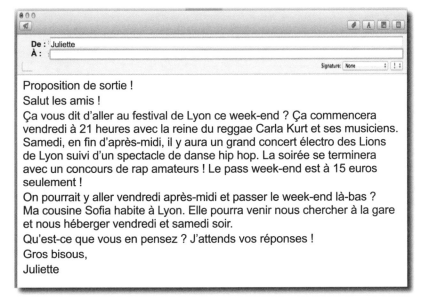

MAISON DES JEUNES ET DE LA CULTURE DE LA VILLE DE BREST
Cours ouverts aux jeunes âgés de 14 à 25 ans !

Cours de basket :
le lundi et le jeudi de 18 h à 19 h

Cours de danse hip hop :
le mercredi de 17 h à 18 h 30

Maison des Jeune
et de la Culture de B

34, rue Christophe-Mio
29200 Brest
mjcbrest.fr
02 65 98 08 55

Cours de tennis :
le mardi et le vendredi de 18 h à 19 h 30

Cours de gymnastique :
le vendredi de 17 h 30 à 18 h 30

Inscriptions du **17 au 28 juillet**
et du **1er au 15 septembre**
directement sur place !
Pièces à fournir :
> carte d'identité
> certificat médical

1. Qui peut s'inscrire aux cours ?
....

2. Valentine prend des cours de piano le lundi et le vendredi en fin d'après-midi. À quelle activité peut-elle s'inscrire ?
....

3. À laquelle de ces dates peut-on s'inscrire ? Cochez la bonne réponse.
   a. Le 15 juillet.   ☐
   b. Le 28 août.   ☐
   c. Le 14 septembre.   ☐

4. Que faut-il faire pour s'inscrire ?
....

5. Quels documents faut-il présenter ?
....

Production écrite

Exercice 6

Vous écrivez un mail à un(e) ami(e) pour lui proposer de vous accompagner à un concert.
Vous lui parlez des artistes que vous allez voir, du lieu et de l'horaire du concert. Votre mail comportera 60 à 80 mots.

Production orale

Exercice 7

Entretien dirigé (1 minute 30 environ)

Après avoir salué votre examinateur, vous vous présentez (vous parlez de vous, de votre famille, de vos amis, de vos études, de vos goûts, des animaux que vous aimez, etc.).

Exercice 8

Monologue suivi (2 minutes environ)

Vous tirez au sort deux sujets et vous en choisissez un. Vous vous exprimez sur le sujet. L'examinateur peut ensuite vous poser des questions pour vous aider.

Sujet 1 *Le sport*	**Sujet 2** *La musique*
Est-ce que vous pratiquez une activité sportive ? Vous regardez des compétitions de sport à la télévision parfois ? Pourquoi est-il important de faire du sport selon vous ?	Est-ce que vous écoutez souvent de la musique ? Quel est votre genre musical préféré ? Vous allez voir des concerts parfois ?

Exercice 9

Exercice en interaction (3 à 4 minutes environ)

Vous tirez au sort deux sujets et vous en choisissez un. Vous devez simuler un dialogue avec l'examinateur afin de résoudre une situation de la vie quotidienne. Vous montrez que vous êtes capable de saluer et d'utiliser des règles de politesse. Dans certains sujets, le genre masculin est utilisé pour alléger le texte. Vous pouvez naturellement adapter la situation en adoptant le genre féminin.

Sujet 1 *Dans un magasin de sport*	**Sujet 2** *Dans un centre culturel pour jeunes*
Vous êtes en France, dans un magasin de sport. Vous posez des questions au vendeur sur les vêtements et accessoires que vous devez acheter pour pratiquer votre activité sportive.	Vous souhaitez avoir un loisir (sport, musique, lecture etc.). Vous posez des questions au personnel du centre pour connaître les activités proposées, les horaires, les tarifs etc.

Unité 5

PROFESSION : REPORTER

Compréhension de l'oral

1 Écoutez et répondez aux questions. 🎧 58

a. **Vrai ou faux ?**

	Vrai	Faux
1. Un violent cyclone a touché Paris.	☐	☐
2. La ville de Paris a été inondée.	☐	☐
3. Il a beaucoup plu entre 21 h et 23 h.	☐	☐

b. **Combien de pluie est tombée en une heure ?**

.... millimètres

c. **Quelle a été la conséquence de ce phénomène sur les transports ?**

1. Toutes les stations de métro ont été fermées. ☐
2. Des personnes sont restées bloquées dans les stations. ☐
3. Le métro n'a pas circulé normalement. ☐

2 Écoutez et répondez aux questions. 🎧 59

a. **Vrai ou faux ?**

	Vrai	Faux
1. La reporter se trouve en Martinique.	☐	☐
2. Les vents ont parfois soufflé à 300 km/h en Guadeloupe.	☐	☐
3. La population de Saint-Martin et de Saint-Barthélemy a eu très peur.	☐	☐

b. **Quand est-ce qu'Irma a touché les Antilles ?**

....

c. **Qu'est-ce qu'Irma a provoqué en Martinique ?**

1. Des inondations. ☐
2. Des chutes d'arbres. ☐
3. La destruction de nombreuses maisons. ☐
4. Des coupures d'électricité. ☐

Lexique

3 Complétez le texte avec les mots de la liste.

inondations – cyclone – pluies – angoisse – vents

> Après douze heures d'....................................., les habitants de la Guadeloupe ont découvert ce matin les dégâts laissés par le passage du .... : arbres arrachés par des .... violents qui ont soufflé toute la nuit, ... dans certains quartiers transformés en rivière en raison des .... intenses...

4 Retrouvez dans la grille 8 mots de la leçon. Les mots sont cachés horizontalement (→), de gauche à droite.

E	G	N	M	A	W	K	A	E	S	I	H	E
Q	O	Y	Y	I	Y	G	A	E	T	B	D	K
P	E	U	R	A	T	E	M	P	E	T	E	P
T	E	R	R	I	B	L	E	X	A	F	L	H
V	I	O	L	E	N	T	J	S	T	O	C	R
I	N	T	E	N	S	E	P	L	U	I	E	F
Q	E	K	O	Q	Y	D	J	A	V	S	D	E
Y	H	N	K	P	M	D	M	G	V	H	N	U
Y	M	O	L	Z	B	Y	O	C	F	G	M	K
Y	E	C	Y	S	I	N	I	S	T	R	E	O
D	E	V	A	S	T	E	R	F	M	F	O	V
T	I	T	H	K	I	H	U	I	J	T	A	D
Z	C	J	A	O	E	A	E	A	L	A	G	W
J	E	N	N	Z	O	I	I	R	W	H	O	F

Grammaire

5 Conjuguez les verbes à l'imparfait.

« Ce soir-là, le vent .... (souffler) très fort, il .... (pleuvoir) énormément et tous les habitants .... (être) terrifiés... Pendant que la tempête .... (dévaster) le pays, il .... (falloir) absolument rester à l'abri ! Les gens ne .... (pouvoir) pas regarder la télévision ou utiliser leur ordinateur car il n'y .... (avoir) plus d'électricité. »

Compréhension des écrits

 6 **Lisez le blog de Lucia.**

LUCIA, BLOG REPORTER

ACCUEIL   **REPORTAGES**   ARCHIVES

Des feux de forêt ont encore dévasté la Corse il y a quelques semaines...

C'est une catastrophe ! En raison des fortes chaleurs et de l'absence de pluie, l'Île de Beauté connaît régulièrement des incendies qui détruisent des milliers d'hectares cet été ! Il y a quelques semaines, de nouveaux feux violents ont dévasté l'île. Les terres sont à présent complètement desséchées et la végétation a presque disparu dans une partie du sud de l'île... Il faut donc trouver rapidement une solution pour protéger ces sols « nus » contre d'autres incendies.

Aujourd'hui, on trouve quelques plantes dans la région, mais elles sont toxiques pour les animaux. C'est une catastrophe pour les éleveurs et les agriculteurs !

D'après *GEO*, « La Corse en quête de solutions, après la sécheresse et les flammes de l'été », 8 octobre 2017.

---

a. **Vrai ou faux ?**

	Vrai	Faux
1. Il y a eu des inondations en Corse.	☐	☐
2. Il y a eu une tempête en Corse.	☐	☐
3. Il y a eu des incendies en Corse.	☐	☐

b. **Quelles sont les causes de cette catastrophe ?**
1. Un accident. ☐
2. Les températures élevées. ☐
3. Un acte criminel. ☐
4. L'absence de pluie. ☐

c. **Quelles sont les conséquences de cette catastrophe ?**
1. Des milliers d'hectares ont disparu. ☐
2. De nombreux habitants sont sinistrés. ☐
3. La végétation a été presque détruite. ☐
4. Les plantes qui restent sont dangereuses pour les animaux. ☐

d. **Quand a eu lieu la catastrophe ?**

....

Production écrite

 7 Antonio rédige un article sur le blog de sa classe car une catastrophe naturelle s'est produite. Aidez-le et rédigez son article à l'aide des documents.

Samedi
Pluies intenses dans le pays :
PLUS DE 1 000 SINISTRÉS !

Fortes pluies annoncées ce week-end :

la population est très inquiète...

Les pompiers ont dû se déplacer en bateau pour évacuer environ 500 personnes !
L'opération de sauvetage a duré toute la matinée.

....
....
....
....
....
....
....

Compréhension de l'oral

1 Écoutez et répondez aux questions. 🎧60

a. **Vrai ou faux ?**

	Vrai	Faux
1. L'ONU a organisé une conférence.	☐	☐
2. Des jeunes de 10 à 15 ans ont assisté à la conférence.	☐	☐
3. C'était l'occasion de rencontrer les secrétaires de l'ONU.	☐	☐
4. C'était l'occasion de découvrir le métier de journaliste.	☐	☐

b. **Où a eu lieu la conférence ?**

....

c. **Que dit Georges Gavras ?**

1. Aujourd'hui, les journalistes ne trouvent plus de travail.	☐
2. Il ne faut pas écouter les discours négatifs.	☐
3. Lui aussi, il a entendu des discours négatifs quand il était plus jeune.	☐

d. **Comment les jeunes ont-ils trouvé le discours de Georges Gavras ?**

1. Amusant.	☐
2. Ennuyeux.	☐
3. Encourageant.	☐

2 Écoutez et répondez aux questions. 🎧61

a. **Vrai ou faux ?**

	Vrai	Faux
1. Des lycéens ont interviewé les meilleurs journalistes du pays.	☐	☐
2. Des jeunes ont travaillé avec des reporters internationaux.	☐	☐
3. Des élèves ont réalisé des reportages avec des professionnels.	☐	☐
4. Ces jeunes sont tous dans la même classe.	☐	☐
5. Ils ont tous choisi l'option audiovisuel.	☐	☐

b. **À quelle occasion a eu lieu cet événement ?**

....

c. **Qu'est-ce qui a plu à Léa ?**

1. Elle a interviewé des personnes célèbres.	☐
2. Elle a eu l'impression d'être une vraie journaliste.	☐
3. Elle a appris de nombreux gestes très techniques.	☐

d. **Quel sentiment a éprouvé l'équipe de journalistes ?**

....

Lexique

3 Complétez le texte avec les mots de la liste.

radio – journaux – télévision – réseaux sociaux – information

Comment s'informent les jeunes ?

Les jeunes s'informent sur Internet, notamment sur les .... : Facebook, Twitter... Ils n'ont pas l'habitude de lire les .... car c'est un mode d'information pas assez moderne. Les jeunes préfèrent obtenir une ....immédiatement grâce à leur téléphone. Quand ils regardent la .... ou quand ils écoutent la ...., c'est surtout pour se détendre.

4 Associez les titres et les rubriques.

a. Nice bat Lille 3 à 0 !
b. Rencontre des Présidents français et chypriote.
c. Élection présidentielle ce week-end.
d. Un homme sauve un chat des inondations !
e. Exposition Rodin au musée des Beaux-Arts.

1. International
2. Culture
3. Sport
4. Politique
5. Fait divers

Grammaire

5 Complétez avec *il y a, en, depuis.*

a. .... quelques années, tous ces réseaux sociaux n'existaient pas !
b. Les journalistes ont envoyé des centaines de tweets .... quelques minutes.
c. Je suis sur internet .... des heures !
d. J'ai créé mon compte Facebook .... longtemps.
e. On peut avoir accès à toutes les informations .... quelques secondes !

Compréhension des écrits

 Lisez l'article.

LES JEUNES *ACCROS* À L'INFO ... MAIS PAS AUX JOURNAUX !

Pourquoi les jeunes semblent peu intéressés par l'actualité et par les médias traditionnels ? En réalité, les médias passionnent certains jeunes, mais leurs habitudes ont changé : en 1973, 36 % des 15-24 ans lisaient un journal tous les jours ou presque. En 2008, ils n'étaient plus que 10 %. Aujourd'hui, ils veulent un accès immédiat et gratuit à l'information plutôt que d'acheter un journal, souvent trop cher pour un lycéen ou trop complexe. Pauline, 16 ans, explique : « *Quand je lis le journal* Le Monde, *il y a beaucoup de mots ou de références que je ne comprends pas.* » Conséquence : beaucoup de jeunes s'informent sur Internet. Facebook est devenu le premier média d'information des jeunes aujourd'hui parce que, comme leurs parents, ils ne font pas confiance aux médias traditionnels. « *À la télévision, les informations sont incomplètes. Les journalistes exagèrent, ils en font trop ! En plus, ils se trompent aussi !* » nous explique Hassan.

D'après *Télérama*, « Les jeunes accros à l'info (mais pas aux journeaux) », novembre 2014.

a. **Vrai ou faux ?**

	Vrai	Faux
1. Les jeunes ne s'intéressent pas à l'actualité.	☐	☐
2. Les habitudes des jeunes ont changé.	☐	☐
3. Les jeunes s'informent grâce à Internet.	☐	☐
4. Les jeunes lisent plus le journal qu'avant.	☐	☐

b. **Quels sont les avantages des informations trouvées sur Internet ?**

....

c. **Pourquoi les jeunes n'achètent pas le journal ?**
1. Parce que les journaux sont trop chers. ☐
2. Parce que les journaux ne sont pas intéressants. ☐
3. Parce que les articles des journaux sont trop compliqués. ☐
4. Parce que les articles des journaux sont trop longs. ☐

d. **Quel est le média d'information préféré des jeunes aujourd'hui ?** ....

e. **Qu'est-ce que les jeunes pensent des médias traditionnels ?**
1. Les journalistes ne s'intéressent pas aux jeunes. ☐
2. On ne peut pas faire confiance aux médias traditionnels. ☐
3. Ils font plus confiance à la presse écrite qu'à la télévision. ☐

Production écrite

 Vous voyez cette enquête sur Internet. Répondez-y.

LE FORUM DES ADOS [Facebook] [Twitter]

Enquête

Et vous, comment vous informez-vous ?
Est-ce que vous vous intéressez à l'actualité ? Vous allez sur des sites d'information ? Vous lisez la presse écrite ? Participez à notre enquête et expliquez-nous comment vous vous informez.

....
....
....
....
....
....

Unité 5 – « Profession : reporter »

Compréhension de l'oral 🎧 62

1 Vrai ou faux ?

	Vrai	Faux
a. Les lycéens interrogés veulent devenir ambassadeurs de l'UNICEF.	☐	☐
b. Les lycéens interrogés sont des ambassadeurs de l'UNICEF.	☐	☐
c. Les lycéens interrogés ne connaissent pas bien l'UNICEF.	☐	☐

2 Répondez aux questions.

a. **Quand Mariana a découvert le projet ?**
   1. Quand elle était bénévole dans une association à Bordeaux. ☐
   2. Il y a quelques mois, quand elle est allée sur Facebook. ☐
   3. Quand elle faisait partie du conseil municipal des jeunes. ☐

b. **Où Vincent communique les informations ?**
   ▸ ....
   ▸ ....

c. **Où est-ce qu'Eva est allée l'année dernière ?**
   1. Au Togo. ☐
   2. À Haïti. ☐
   3. Dans l'ouest de la France. ☐

d. **Plus tard, Eva veut travailler dans...**
   1. le tourisme. ☐
   2. la médecine. ☐
   3. l'humanitaire. ☐

Lexique

3 Complétez avec les mots de la liste.

invention – vainqueurs – stressés – concours – finalistes – fiers – rassemblé

Amir Ouerdane et Joseph Lorenzo : ce sont les .... de la finale du .... « Jeunes inventeurs » qui s'est déroulée hier soir à Lyon. L'événement a .... plus de 50 ...., mais c'est leur .... qui a le plus intéressé le jury. Très .... avant l'annonce des résultats, les deux lycéens se sentent aujourd'hui très .... d'eux.

4 Retrouvez les mots de la leçon à l'aide des définitions et des lettres données.

a. **P _ _ _** : Nom. C'est un sentiment d'angoisse. Face au danger, j'ai ...
b. **C _ _ _ T _ _ T** : Adjectif. Quand je ressens du bonheur, de la satisfaction, je suis ...
c. **T _ _ C** : Nom. Stress, nervosité. Avant de parler devant tout le monde, j'ai le ...
d. **C _ _ F _ _ _ _ E** : Nom. Sentiment de sécurité, de courage. J'ai ... en moi !

Grammaire

5 Transformez les phrases comme dans les exemples.

Exemple : • Mathilde : « Je participe au concours. » → Mathilde dit qu'elle participe au concours.
• Mathilde : « Est-ce que le concours est ouvert à tous les lycéens ? »
→ Mathilde demande si le concours est ouvert à tous les lycéens.

a. David : « Je trouve cette invention vraiment pratique ! » →...
b. Les gagnants du concours : « Nous sommes très fiers ! » →...
c. Iris : « Est-ce que les gagnants sont des lycéens ? » →...
d. Manuel : « Je travaillerai dans l'humanitaire. » →...
e. Le professeur : « Est-ce que quelqu'un est intéressé par ce projet ? » →...
f. Lucas et Isabella : « Nous représentons l'UNICEF. » →...

Compréhension des écrits

 Lisez l'article.

ILS ÉTAIENT AU « PRIX NOBEL » DE SCIENCES DES ADOS !

Manon Quilleré, Maxime Horlaville et Jérémiah Knockaert, trois lycéens de notre région, reviennent de l'un des plus grands concours scientifiques internationaux réservés aux adolescents : l'Intel International Science and Engineering Fair (Intel ISEF). Tout a débuté avec une expérience réalisée pour leur cours de physique : les élèves décident de s'inspirer des travaux de Victor Hess, prix Nobel de physique de 1936. Leur projet : envoyer un ballon dans la stratosphère, la seconde couche de l'atmosphère terrestre. Ils décident alors de présenter leur projet et leurs résultats aux Olympiades nationales de physique. C'est à l'occasion de ce concours réservé aux lycéens que les trois jeunes

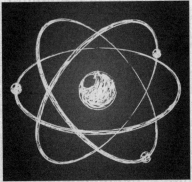

scientifiques sont sélectionnés pour l'Intel ISEF. Organisé à Pittsburgh aux États-Unis du 10 au 15 mai dernier, l'événement a rassemblé près de 2 000 jeunes de 78 pays. Tous avaient le même objectif : gagner le prix Gordon E. Moore, « le prix Nobel des ados ». Les trois Français n'ont pas remporté la prestigieuse récompense, mais ils ont reçu le prix de la société américaine d'astronomie et ils ont été invités à revenir cet hiver pour présenter la prochaine étape de leur projet. Ils travaillent en effet sur un nouveau modèle de ballon, « *moins cher et plus léger* ».

D'après *Culture sciences*, « Trois lycéens guérandais ont participé au "prix Nobel de sciences des ados" », juin 2015..

a. Qu'est-ce que l'Intel ISEF ?
1. Un concours de jeunes inventeurs. ☐
2. Un concours scientifique pour les ados. ☐
3. Un concours artistique pour les lycéens. ☐

b. Qui a inspiré leur projet ? Donnez son nom. ....

c. Quel est leur projet ?
1. Voyager dans l'espace. ☐
2. Envoyer une fusée sur une autre planète. ☐
3. Envoyer un ballon dans l'espace. ☐

d. Quand a eu lieu leur sélection pour l'Intel ISEF ?
1. Lors d'une compétition organisée dans leur lycée. ☐
2. Lors d'un autre concours scientifique pour lycéens. ☐
3. Lors d'une expérience réalisée en cours de physique. ☐

e. Qu'est-ce que les jeunes Français ont gagné à l'Intel ISEF ? ....

Production écrite

 Vous découvrez le site Utopie. Vous avez vécu une expérience enrichissante : vous avez rencontré une personne incroyable qui vous a appris beaucoup de choses, vous avez lu un livre, vu un film, un événement qui vous ont donné envie d'agir, etc. Racontez.

UTOPIE, LE MAGAZINE DES ADOLESCENTS CURIEUX ET ENGAGÉS !

Facebook Twitter

Vous aussi vous avez participé à une aventure extraordinaire ? Alors témoignez sur notre site !

....
....
....
....
....

Compréhension de l'oral 🎧 63

1 ▶ **Vrai ou faux ?**

	Vrai	Faux
a. Un incendie a eu lieu dans une cité à Colmar.	☐	☐
b. Trois jeunes sont restés bloqués dans un immeuble en flammes.	☐	☐
c. Une vieille dame a pu être sauvée d'un incendie.	☐	☐

2 ▶ **Répondez aux questions.**

a. Où se trouvait Olga au début de l'incendie ?

....

b. Qu'est-ce que les habitants de l'immeuble ont fait ?
   1. Ils ont crié quand ils ont vu les flammes. ☐
   2. Ils ont tout de suite appelé les pompiers. ☐
   3. Ils ont demandé à des jeunes qu'ils la sauvent. ☐

c. Pourquoi Hassan n'a pas hésité ?
   1. Parce qu'Olga était au 1er étage. ☐
   2. Parce qu'Hassan connaissait Olga. ☐
   3. Parce qu'Olga est une vieille dame. ☐

d. En combien de temps les jeunes ont-ils escaladé l'immeuble ?

....

Lexique

3 ▶ **Complétez le texte avec les mots de la liste.**

ensuite – donc – tout d'abord – alors

Une blague... de la police !

Anna Leret sortait de son travail quand la police a arrêté cette Parisienne de 23 ans pour excès de vitesse. Elle s'est .... sentie surprise : « Je croyais rouler à une vitesse normale ! » Mais la jeune femme a .... commencé à avoir peur quand elle a vu l'agent de police appeler son collègue à l'aide. Quand l'autre policier est arrivé à côté de sa voiture, Anna Leret a .... reconnu... son petit-ami ! Il s'est mis à genou et a demandé la conductrice en mariage ! Cette arrestation était .... la blague d'un policier amoureux aidé de son collègue ! Anna a dit « oui » à Jason, qui est aujourd'hui son fiancé.

Grammaire

4 ▶ **À quel temps est le verbe en gras ? Cochez la bonne réponse.**

	Passé composé	Imparfait
a. Tu n'**étais** pas chez toi au moment de l'accident.	☐	☐
b. On **a senti** l'odeur de fumée.	☐	☐
c. Il y **a eu** un violent incendie dans le quartier.	☐	☐
d. Les habitants de l'immeuble ne **connaissaient** pas bien la victime.	☐	☐
e. Les pompiers **sont intervenus** immédiatement.	☐	☐

5 ▶ **Conjuguez aux temps demandés.**

a. On .... (réussir, passé composé) à sauver le chat qui .... (se trouver, imparfait) sur le toit.

b. Quand les pompiers .... (arriver, passé composé), il .... (être, imparfait) trop tard...

c. La personne qui .... (vivre, imparfait) au-dessus .... (entendre, passé composé) soudain les cris de la vieille dame.

d. Je ne .... (pouvoir, imparfait) plus respirer, c'est pour cela que je .... (sortir, passé composé) de l'immeuble.

Compréhension des écrits

6 ▸ **Lisez l'article.**

FACEBOOK PERMET DE RETROUVER... UN LÉZARD !

Chloé, lycéenne lilloise de 16 ans, a eu une grosse frayeur le week-end dernier ! Alors qu'elle s'apprêtait à lui donner à manger elle n'a pas aperçu son animal de compagnie, Drako... un iguane vert de deux ans ! Le lézard, qui vit habituellement dans un terrarium, s'est enfui dans la matinée. La jeune fille et ses parents, paniqués, ont alors déplacé tous les meubles et cherché dans toute la maison pendant plusieurs heures, mais ils n'ont pas retrouvé le reptile ! Chloé a donc lancé un avis de recherche sur les réseaux sociaux, car on lui a dit que c'était efficace. Les contacts de la lycéenne ont immédiatement partagé son annonce, et elle a rapidement reçu plusieurs messages d'encouragement et quelques questions sur la dangerosité de l'iguane domestique. Quand la nuit commençait à tomber, les habitants du quartier, grâce à la description de Drako, l'ont reconnu : le lézard se trouvait tout simplement dans le jardin des voisins de Chloé, à quelques mètres de l'appartement de la jeune fille. Chloé a alors récupéré son animal préféré, qui a retrouvé son terrarium dans la soirée. Le week-end s'est donc bien terminé pour cette famille lilloise et pour Drako !

a. **Vrai ou faux ?**

	Vrai	Faux
1. Un animal s'est échappé du zoo.	☐	☐
2. Chloé a perdu son animal de compagnie.	☐	☐
3. Chloé a adopté un animal grâce à Facebook.	☐	☐
4. On a retrouvé un animal grâce à Facebook.	☐	☐

b. **Quel animal est Drako ?** ....

c. **Qu'est-il arrivé à Drako ?**
1. Il a disparu. ☐
2. On l'a volé. ☐
3. Il est coincé. ☐

d. **Qu'est-ce que Chloé a fait ?**
1. Elle a posé des affiches dans la rue. ☐
2. Elle a téléphoné à la police. ☐
3. Elle a utilisé un réseau social. ☐

Production écrite

7 **Vous écrivez un article sur un fait divers pour le journal de votre lycée. Raconter ce qui s'est passé. Aidez-vous des photos.**

....
....
....
....
....
....
....
....
....
....
....

Unité 5 – « Profession : reporter »

1 Ajoutez les terminaisons de l'imparfait.

a. Quand j'ét.......... enfant, je voul.......... devenir pompier.
b. Nous viv.......... dans un autre pays à ce moment-là.
c. Avant ce reportage, tu ne connaiss.......... pas la Croix-Rouge.
d. À l'époque de nos parents, les gens ne pouv.......... pas s'informer aussi vite.
e. Avant les réseaux sociaux, on dev.......... acheter son journal.
f. Au XXᵉ siècle, vous n'écriv.......... pas de SMS

2 Conjuguez aux temps demandés.

> **Florian : un ado chef d'entreprise !**
>
> Florian Muszumanski .... (créer, passé composé) son entreprise de développement web... à l'âge de 16 ans ! Quand il .... (être, imparfait) plus jeune, Florian .... (passer, imparfait) beaucoup de temps sur son PC, tout seul. L'école ne lui .... (plaire, imparfait) pas beaucoup et il .... (préférer, imparfait) les jeux vidéo aux sorties avec les copains. Donc, après son brevet, il .... (arrêter, passé composé) l'école. D'abord, sa mère .... (être, passé composé) en colère. Ensuite, elle .... (accepter, passé composé) son choix et quelques années plus tard, il .... (devenir, passé composé) patron !

3 Quel temps il faut utiliser : le passé composé ou l'imparfait ? Cochez la bonne réponse.

	Passé composé	Imparfait
a. Je fais une description au passé.	☐	☐
b. Je raconte un événement passé délimité dans le temps.	☐	☐
c. Je parle d'habitude passées.	☐	☐
d. Je raconte des actions passées qui se suivent.	☐	☐

4 Transformez les phrases de la liste comme dans l'exemple.

Exemple : Mme Voulgaris parle au journaliste. → Mme Voulgaris lui parle.

a. Les témoins de l'accident téléphonent **aux pompiers**. → ....
b. J'écris **au rédacteur en chef du journal**. → ....
c. Les victimes disent la vérité **à la police**. → ....
d. Tu envoies un message **aux gagnants du concours**. → ....

5 Voici Naël. Rapportez son discours à l'aide des débuts de phrases.

Je veux devenir journaliste.
Est-ce que la profession de journaliste est dangereuse ?
J'écris des articles pour le journal du lycée.
Les reportages de cette chaîne sont intéressants.
Est-ce que les reporters doivent faire de longues études ?

a. Naël dit que ....
b. ....
c. ....
d. Il demande si ....
e. ....

6 Complétez avec *lui* ou *leur*.

a. Le jury a félicité les vainqueurs et il .... a offert une récompense.

b. Quand Maria s'est inscrite au concours, on .... a demandé son âge.

c. J'avais des questions pour les jeunes ambassadeurs de l'UNICEF. Alors, je .... ai envoyé un mail.

d. Nous sommes très fiers de la victoire d'Amir, nous .... avons téléphoné et .... avons dit bravo !

e. Les journalistes ont rencontré les gagnants et .... ont posé des questions.

7 Remettez les phrases dans l'ordre.

a. médias / Les / pensent / les / mentent. / jeunes / que

→ ....

b. que / Le / explique / est / situation / journaliste / dangereuse. / la

→ ....

c. trac. / La / le / candidate / qu' / a / elle / ajoute

→ ....

8 Complétez le texte avec *depuis, en, il y a, pendant*.

Esther, portrait d'une ado extraordinaire

Esther a eu un accident .... quatre ans et elle a dû se déplacer en fauteuil roulant .... plusieurs semaines. Elle a alors compris le quotidien que vivaient les personnes en situation de handicap moteur et elle a décidé de les aider. C'est pourquoi, Esther est bénévole à l'association Hadapt .... deux ans, et cela a changé sa vie ! Esther était timide, mais maintenant elle se sent utile et... elle se fait régulièrement de nouveaux amis ! Cet été, elle s'est fait une dizaine d'amis .... trois semaines !

9 Complétez avec *tous les ...., pendant, du... au...., un mois après*.

« .... la catastrophe, les habitants ont retrouvé une vie normale, mais les travaux de reconstruction ne sont pas finis. Des pluies abondantes sont tombées .... plusieurs jours et ont causé de nombreuses inondations. .... jours, des associations continuent à accueillir les personnes sinistrées .... matin .... soir. »

10 Complétez avec les mots de la liste.

après - demain - hier - avant - aujourd'hui

Mardi 20 mars

Semaine de la presse du 19 au 24 mars

Au programme de ce mardi pour les élèves du lycée Boris Vian : rencontre et discussion avec Hugo Boyer et Clément Fabre. Les deux journalistes viendront .... présenter leur profession aux lycéens qui pourront .... leur poser des questions.

La semaine de la presse a commencé .... pour ces élèves avec une visite des locaux de la chaîne de télévision Info France. ...., les jeunes auront l'occasion de découvrir les secrets de fabrication du journal *France Hebdo* et, jeudi, ils rencontreront les journalistes de la station Radio Anjou. Vendredi, la semaine de la presse finira par une présentation du travail réalisé par les élèves de terminale option audiovisuel. .. .., les lycéens assisteront à une conférence sur l'influence des réseaux sociaux.

Les sons [e] et [ε]

1 **Écoutez. Vous entendez le son [e] ou le son [ε] ? Cochez la bonne réponse.** (64)

	[e]	[ε]		[e]	[ε]		[e]	[ε]
a.	☐	☐	c.	☐	☐	e.	☐	☐
b.	☐	☐	d.	☐	☐	f.	☐	☐

2 **Écoutez et soulignez le son [ε]** (65)

a. Pendant le cyclone, les gens étaient inquiets.

b. Il y a 20 ans, les jeunes lisaient beaucoup la presse.

c. La police a arrêté un jeune pour excès de vitesse.

d. J'ai vu les images d'une catastrophe naturelle à la télé.

e. Les pompiers ont sauvé une dizaine de personnes.

f. Plus jeune, je voulais devenir reporter !

3 **Écoutez et complétez avec é ou ait.** (66)

a. film.......   b. ét......   c. cherch......   d. demand......   e. photographi......   f. réalis......

4 **Écoutez. Combien de fois entendez-vous le son [ε] ?** (67)

a. Avant, je vivais dans une autre ville.   → .... fois

b. La tempête a dévasté le nord-est.   → .... fois

c. Vous êtes volontaire ?   → .... fois

d. Tu as choisi un thème ?   → .... fois

e. Il est rentré six mois après.   → .... fois

f. Vous avez vu le fait divers ?   → .... fois

5 **Écoutez. Puis lisez les phrases en face d'un miroir. Vérifiez que vous faites les bons mouvements de bouche.** (68)

a. Tu as regardé la télé ?

b. L'envoyé spécial a mené une enquête.

c. Ma mère travaillait pour une chaîne d'information.

d. L'année dernière, nous avons créé un magazine culturel.

e. Les jeunes d'hier s'informaient grâce aux médias traditionnels.

6 **Écoutez et écrivez les phrases.** (69)

a. → ....

b. → ....

c. → ....

d. → ....

e. → ....

7 **Écoutez ce petit dialogue. Jouez-le à deux en faisant bien la différence entre [e] et [ε].** (70) **Parlez comme de vrais journalistes !**

Éric : Il est presque treize heures. Hélène Berger, quels sont les titres de l'actualité ?

Hélène : Tout d'abord, catastrophe naturelle : une tempête a dévasté l'est du Québec. Notre reporter était sur place.

Éric : Ensuite, un phénomène de société ?

Hélène : Oui. Avant, les jeunes lisaient le journal, mais aujourd'hui, ils aiment s'informer sur Internet. Une enquête d'Ève Prévert.

Éric : Culturel ?

Hélène : Les élèves du lycée Ernest Hemingway ont gagné le célèbre trophée des meilleurs inventeurs pour leur vélo solaire !

Éric : Enfin, un fait divers ?

Hélène : Les pompiers sont allés chercher un jeune coincé dans un arbre parce qu'il voulait sauver un chat !

Lexique

1 Complétez les mots suivants en vous aidant des lettres données et des définitions.

a. **V __ __ T** : Il souffle fort quand il y a une tempête
b. **P __ __ __ E** : Elle tombe des nuages. Elle peut être légère, forte...
c. **C __ C __ __ __ E** : Il est plus violent qu'une tempête et peut provoquer des catastrophes
d. **I N __ N __ __ __ I __ N** : Quand il pleut beaucoup pendant longtemps, il peut y avoir une...
e. **S I __ I __ __ __ É** : C'est une victime de catastrophe naturelle.

2 Associez les sentiments et les photos.

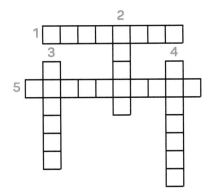

| **a.** Avoir le trac |
| **b.** Être fier |
| **c.** Être terrifié |
| **d.** Se sentir mal |
| **e.** Être content |

3 Complétez la grille de mots croisés.

Horizontal
1. C'est le réseau informatique mondial.
5. On la regarde pour s'informer ou se détendre.

Vertical
2. Elle diffuse des informations et de la musique...
3. Ils transmettent les informations sur écran, sur papier, etc.
4. On le lit pour connaître l'actualité.

4 Classez les verbes.

déclarer – questionner – interroger – demander – raconter – expliquer

▸ Pour poser une question (reporter, policier...) : ....
▸ Pour donner une information (témoin...) : ....

Comment organiser un texte écrit ?

 1 Je raconte dans l'ordre.

Soulignez les mots qui indiquent l'ordre des événements.

> ### La tempête du siècle
>
> Il y a vingt ans, une tempête très violente a dévasté la France. À cette époque, Pedro habitait à côté de Paris. Il nous raconte : « Je me suis réveillé à 6 heures du matin. Il faisait nuit. Tout d'abord, j'ai entendu le vent qui commençait à souffler. Ensuite, les fenêtres de la maison se sont brisées après la chute d'un arbre ! Puis, la pluie a commencé à tomber. Alors, cela a provoqué une inondation. J'étais terrifié ! La tempête a dévasté la région pendant plusieurs heures. Enfin, quand j'ai pu sortir de la maison, j'ai vu tous les dégâts : arbres couchés, toits arrachés... C'était horrible ! »

2 J'utilise des indicateurs de temps : *avant, enfin, ensuite, tout d'abord, après.*

Complétez le règlement suivant avec les indicateurs de temps.
Participation au concours du jeune inventeur · étapes à suivre

a. ...., vous devez télécharger le dossier d'inscription.

b. ...., il faut compléter le dossier.

c. Vous devez envoyer votre dossier .... le 2 avril.

d. .... votre inscription, vous recevez une attestation par mail.

e. ...., vous devez vous présenter au concours avec votre pièce d'identité et votre attestation.

3 J'utilise « mais », « parce que » et « alors ».

Pour répondre à la question « pourquoi ? », pour exprimer une cause, on peut utiliser l'expression « parce que » et une phrase complète. Pour présenter le résultat d'une action, on peut utiliser « alors ».

a. **Reliez les phrases avec « parce que » ou « alors ». Aidez-vous de l'exemple.**

Exemple : La tempête a fait de nombreux sinistrés. Plusieurs organisations ont aidé la population.

→ La tempête a fait de nombreux sinistrés. **Alors** plusieurs organisations humanitaires ont aidé la population.

a. Les habitants ont peur. Le cyclone approche.

→ ....

b. Les faits divers ne m'intéressent pas. J'écoute une émission culturelle.

→ ....

c. Linda a inventé un robot révolutionnaire. Elle s'inscrit au concours des inventeurs.

→ ....

d. La police a arrêté un jeune. Il conduisait trop vite.

→ ....

b. **Complétez avec les mots de la liste.**
tout d'abord – enfin – parce que – mais – alors – ensuite

> ### Grand concours lycéen : Reportado
>
> Vous avez moins de 18 ans, vous allez beaucoup sur Internet .... vous aimez vous informer ? ...., inscrivez-vous à notre concours « Reportado » ! Les élèves doivent réaliser un reportage intéressant .... court (trois minutes maximum) sur un sujet d'actualité. .... trois reportages lycéens sont sélectionnés par un jury de professionnels des médias. Les finalistes sont .... invités à se rendre à Strasbourg dans les locaux de la chaîne de télé Epsilon. ...., Epsilon diffuse les reportages des gagnants.

Portfolio

	Oui	Pas complètement	Pas encore
Langue			
Je peux raconter un événement passé.			
Je peux raconter un fait divers.			
Je sais me repérer dans un récit au passé.			
Je peux organiser mon récit.			
Je peux rapporter le discours d'autres personnes.			
Grammaire			
Je sais conjuguer et utiliser l'imparfait.			
Je connais les pronoms COI.			
Je maîtrise le discours rapporté au présent.			
Je connais les indicateurs de temps *depuis, pendant, il y a, en...*			
Je connais plusieurs verbes de communication.			
Lexique			
Je connais plusieurs mots liés aux catastrophes naturelles.			
Je connais plusieurs façons d'exprimer des sentiments.			
Je connais du lexique lié aux médias.			
Je connais du lexique lié à l'engagement, au concours.			
Phonétique			
Je distingue les sons [e] et [ɛ].			
Je prononce correctement [e] et [ɛ].			
Civilisation			
Je sais comment les jeunes de mon âge s'informent.			

Compréhension de l'oral

*Vous allez entendre trois enregistrements, correspondant à trois documents différents. Pour chaque document, vous aurez :
30 secondes pour lire les questions ; une première écoute, puis 30 secondes de pause pour commencer à répondre
aux questions ; une seconde écoute, puis 30 secondes de pause pour compléter vos réponses. Répondez aux questions
en cochant (X) la bonne réponse ou en écrivant l'information demandée.*

Exercice 1 🎧 71

Lisez les questions. Écoutez le document puis répondez.

1. **Scoop FM est la radio...**
   a. des habitants de Valenton. ☐
   b. des lycéens de Valence. ☐
   c. des collégiens de Valenciennes. ☐

2. **À quel moment peut-on écouter Scoop FM ?**
   a. Le lundi à midi. ☐
   b. Le samedi après-midi. ☐
   c. Le mercredi à 18h. ☐

3. **Quelles émissions passent sur cette station ?**
   a. Uniquement des émissions musicales. ☐
   b. Des émissions consacrées au sport. ☐
   c. Des programmes liés aux questions de société. ☐

4. **Quelle est le métier d'Henri Chevalier ?**
   ....

5. **Quelle est la fréquence de Scoop FM ?**
   ....

Exercice 2 🎧 72

Lisez les questions. Écoutez le document puis répondez.

1. **Combien de journaux ont participé au concours ?**
   ....

2. **Quel journal a gagné ?**
   a. L'Hebdo d'Orléans. ☐
   b. La Gazette d'Orléans. ☐
   c. Le Journal des lycéens. ☐

3. **Pourquoi a-t-il gagné ?**
   a. Il est original. ☐
   b. Il est documenté. ☐
   c. Il est drôle. ☐

4. **Le Concours de la presse jeune est un concours...**
   a. mensuel et international. ☐
   b. annuel et national. ☐
   c. hebdomadaire et local. ☐

5. **Où peut-on trouver tous les résultats du concours ?**
   ....

Exercice 3 🎧 73

Lisez les questions. Écoutez le document puis répondez.

1. **Quel exploit a réalisé Angélique ?**
   a. Elle a fait le tour du monde en bateau. ☐
   b. Elle a traversé la Manche en bateau. ☐
   c. Elle a traversé l'Atlantique en bateau. ☐

2. **À quelle heure est-elle arrivée en France ?**
   ....

3. **Qu'est-ce qu'un « Optimist » ?**
   a. Un gros bateau. ☐
   b. Un petit voilier ☐
   c. Un canoë. ☐

4. **Combien de temps Angélique a-t-elle navigué ?**
   ....

Compréhension des écrits

Exercice 4

Cours ouverts aux jeunes âgés de 14 à 25 ans !
LYCÉENS, PRENEZ LA PAROLE, FAITES UN JOURNAL

▸ Engagez-vous et participez à la vie de votre lycée.
▸ Donnez votre avis sur tout, mais surtout votre avis.
▸ Un journal qui vous ressemble, une équipe qui vous rassemble.

*Des centaines de **journaux** paraissent chaque année.*
À quand le vôtre ?

Télécharger le kit pratique pour créer un journal lycéen
www.creerunjournallyceen.fr

D'après Association Jets d'encre, 2013.

1. **À qui s'adresse ce document ?**
   a. Aux lycéens. ☐
   b. À tous les jeunes. ☐
   c. Aux jeunes journalistes. ☐

2. **Quel est le message de ce document ?**
   a. Il faut lire la presse plus souvent. ☐
   b. Il faut s'abonner à notre journal. ☐
   c. Il faut créer son propre journal. ☐

3. **Quelle information est donnée dans ce document ?**
   a. Les jeunes ne font plus confiance aux médias. ☐
   b. Il y a un nouveau journal du lycée. ☐
   c. De nombreux journaux existent déjà. ☐

4. **Qu'est-ce qu'on télécharge à l'adresse Internet que donne le document ?**
   ....

Exercice 5

Lisez le document suivant et répondez aux questions.

PRÊTES à TOUT POUR LES ANIMAUX !

Quand Camille et ses amies Léa et Manon ont créé leur association Une nouvelle chance il y a six mois, elles ne se savaient pas qu'elles auraient autant de travail. « *Nous avons voulu créer cette association pour sauver les animaux abandonnés parce que nous en voyons souvent en forêt ou même en ville... Aujourd'hui, nous en sauvons une quarantaine par mois !* » Les trois amies s'occupent « *des cas désespérés* ». « *On trouve même des chiens attachés dans les bois !* » explique la toute jeune présidente de l'association. Camille, tout juste dix-huit ans, a parfois les larmes aux yeux quand elle retrouve les bêtes abandonnées : « *Nous sommes très en colère contre les humains parfois...* » Mais la jeune fille fait aussi part de sa fierté car ses amies et elle ont pu sauver de nombreux chiens et chats de la région et leur trouver des familles d'accueil aimantes qu'elles ont trouvées grâce à leur site et à leur page Facebook.

D'après *La Voix du Nord*, « Sauver les animaux à tout prix : ça ne leur fait pas peur », 4 novembre 2016.

1. **Manon et Camille ont créé l'association Une nouvelle chance quand ?** ....

2. **Que dit l'article sur l'action de ces jeunes filles ?**
   a. Elles ont beaucoup de travail. ☐
   b. Elles manquent de moyens. ☐
   c. Elles cherchent des bénévoles. ☐

3. **Quels sont les sentiments de Camille ?**
   a. De la rage et de la satisfaction. ☐
   b. De la tristesse et de la tendresse. ☐
   c. De la confiance et de la joie. ☐

4. **Quel est le but de cette association ?**
   a. Soigner les animaux malades. ☐
   b. Faire adopter les animaux abandonnés. ☐
   c. Garder des animaux quand leurs maîtres ne sont pas là. ☐

5. **Quels moyens de communication utilisent les membres de l'association ?**
   ....
   ....

Production écrite

Exercice 6

Deux de vos amis français ont remporté un prix pour leur chargeur de téléphone universel au concours des jeunes inventeurs. Vous leur écrivez un mail pour les féliciter. Votre mail comportera 60 à 80 mots.

Production orale

Exercice 7

Entretien dirigé (1 minute 30 environ)

Après avoir salué votre examinateur, vous vous présentez (vous parlez de vous, de vos goûts, des programmes que vous regardez à la télévision ou sur Internet, des journaux ou des magazines que vous lisez...).

Exercice 8

Monologue suivi (2 minutes environ)

Vous tirez au sort deux sujets et vous en choisissez un. Vous vous exprimez sur le sujet.
L'examinateur peut ensuite vous poser des questions pour vous aider.

Sujet 1 *Les médias*	**Sujet 2** *Les associations humanitaires*
Comment vous tenez-vous au courant de l'actualité ? Quels médias utilisez-vous ? Préférez-vous la presse papier ou Internet ?	Est-ce que vous vous sentez concerné par les causes défendues par les associations humanitaires ? Avez-vous envie de vous engager ? Pourquoi ?

Exercice 9

Exercice en interaction (3 à 4 minutes environ)

Vous tirez au sort deux sujets et vous en choisissez un. Vous devez simuler un dialogue avec l'examinateur afin de résoudre une situation de la vie quotidienne. Vous montrez que vous êtes capable de saluer et d'utiliser des règles de politesse. Dans certains sujets, le genre masculin est utilisé pour alléger le texte. Vous pouvez naturellement adapter la situation en adoptant le genre féminin.

Sujet 1 *Vol*	**Sujet 2** *Reportage*
Vous êtes dans une ville française. Une dame âgée se fait voler son sac à main devant vous. Un agent de police vous interroge pour savoir ce qu'il s'est passé. Vous lui racontez ce que vous avez vu.	Vous êtes journaliste reporter pour le journal de votre lycée. Vous avez fait un reportage sur une catastrophe naturelle. Vous racontez à la classe ce que vous avez vu, ce que les gens interrogés vous ont dit etc.

Unité 6

C'EST MON MÉTIER

Compréhension de l'oral 🎧 74

1 **Vrai ou faux ?**

	Vrai	Faux
a. Cécile a arrêté le lycée à 17 ans.	☐	☐
b. Plus jeune, Cécile n'aimait pas l'école.	☐	☐
c. Cécile a choisi une filière militaire.	☐	☐

2 **Répondez aux questions.**

a. **Comment s'appelle la nouvelle école de Cécile ?**
   1. L'école nationale. ☐
   2. L'école de la marine. ☐
   3. L'école des mousses. ☐

b. **Combien de temps dure la formation ?** ....

c. **Cécile suit une formation pour...**
   1. conduire des bateaux. ☐
   2. réparer des bateaux. ☐
   3. devenir sauveteur en mer. ☐

d. **Quelle est la durée du contrat obtenu par Cécile ?**
   ....

e. **Pourquoi Cécile a fait ce choix ?**
   Cochez les bonnes réponses.
   1. Parce qu'elle a toujours aimé la marine. ☐
   2. Parce qu'elle avait un niveau scolaire trop bas. ☐
   3. Parce qu'elle n'aime pas la discipline. ☐

Lexique

3 **Complétez le témoignage de Fiona, étudiante infirmière, avec les mots de la liste.**

étudier – métier – intégrer – bac – réorienter – lycée – préparatoire – filière – licence

Après le ...., je ne savais pas quoi faire : j'avais mon .... en poche, mais je ne savais pas quelle .... choisir. J'ai finalement décidé d'aller à l'université pour .... et préparer une .... d'histoire. Mais cela ne m'a pas plu. Alors, je suis allée voir un conseiller d'orientation pour qu'il m'aide à me .... Il m'a parlé du .... d'infirmière. Cela m'a vraiment intéressée, et je me suis inscrite à une école .... pour préparer le concours et .... une école d'infirmière.

4 **Retrouvez les noms de professions.**

Il se lève très tôt pour préparer et vendre du pain, des croissants.
C'est le ....

Il travaille dans un cabinet ou à l'hôpital. Il soigne les malades.
C'est le ....

Il prépare et vend des bouquets. Dans son magasin, on trouve des roses, des plantes.
C'est le ....

Il lave, coupe et teint les cheveux de ses clients.
C'est le ....

Il travaille dans le monde de la justice. Il défend son client (une victime ou un coupable).
C'est l'........................

Grammaire

5 Conjuguez les verbes aux temps demandés.

a. J'........................ (être, imparfait) au lycée quand j'........................ (choisir, passé composé) de devenir journaliste.

b. Selena et Iliana n'........................ (avoir, imparfait) que 17 ans quand elles .... (réussir, passé composé) le concours d'entrée pour cette grande école.

c. Rien ne nous _____ (plaire, imparfait) et un jour nous .... (entendre, passé composé) parler de cette formation.

d. Tu .... (découvrir, passé composé) ce domaine pendant que tu .... (faire, imparfait) un stage.

Compréhension des écrits

6 Lisez le texte.

Animateur 3D

Il crée les mouvements des personnages de jeux vidéo. C'est un artiste, un technicien, un graphiste et un informaticien en même temps !

C'est une profession passionnante mais les débutants ont souvent un salaire très bas.

Emploi d'animateur 3D

Master d'animateur 3D

École spécialisées :
Infograph – Vidanim – Arts et Com
5 ans de formation (Master)

Licence d'animateur 3D

Test d'entrée

Université
La formation universitaire de **3 ans** se compose de nombreux cours théoriques mais aussi de stages pratiques en entreprises

Prépéco, école préparatoire (préparation au test d'entrée)
1 an

BACCALAURÉAT GÉNÉRAL (littéraire, scientifique ou économique et social) ou TECHNOLOGIQUE

a. Vrai ou faux ?

	Vrai	Faux
1. Il faut avoir un bac scientifique pour devenir animateur 3D.	☐	☐
2. Il existe plusieurs formations pour exercer cette profession.	☐	☐
3. On doit obligatoirement passer par une école préparatoire.	☐	☐
4. On peut passer le test directement après le bac.	☐	☐

b. **Quel diplôme on obtient quand on choisit la formation à l'université ?**

....

c. **Qu'est-ce qu'il y a au programme de la formation universitaire ? Cochez les bonnes réponses.**

1. Des cours. ☐
2. Une formation à l'étranger. ☐
3. Des stages en entreprise. ☐
4. Un projet à réaliser. ☐

d. **Il y a combien d'écoles spécialisées pour former les animateurs 3D ?**

....

e. **Quel est l'inconvénient de cette profession ?**

1. C'est souvent ennuyeux. ☐
2. C'est mal payé au début. ☐
3. C'est très fatigant. ☐

Production écrite

7 Est-ce qu'il y a un métier ou un domaine professionnel qui vous intéresse ?
Quelle orientation vous avez envie de suivre ? Pourquoi ? Expliquez.

....
....
....
....
....
....
....

Compréhension de l'oral 🎧 75

1 Cochez la bonne réponse.

a. **Vrai ou faux ?** Vrai Faux
   1. L'e-sport est la pratique d'un sport virtuel. ☐ ☐
   2. L'e-sport se pratique sur un vrai terrain. ☐ ☐
   3. Les e-sportifs doivent porter
      une tenue spéciale. ☐ ☐

2 Répondez aux questions.

a. **Pourquoi Mat Privet pense que c'est un vrai sport ?**
   1. Parce que c'est très fatigant. ☐
   2. Parce qu'il faut s'entraîner. ☐
   3. Parce qu'il faut être stratégique. ☐
   4. Parce qu'il faut appartenir à un club. ☐
b. **Un e-sportif doit avoir quelles qualités ?**
   1. Être passionné. ☐
   2. Être discret. ☐
   3. Être respectueux. ☐
   4. Être calme. ☐
c. **Comment les e-sportifs gagnent de l'argent ?**
   1. Avec les clubs. ☐
   2. Avec les compétitions. ☐
   3. Avec les publicités. ☐
   4. Avec les interviews. ☐
   5. Avec leurs sponsors. ☐
d. **Pourquoi c'est difficile de vivre de cette passion
   en France ?** ....

Lexique

3 Complétez le dialogue avec les mots de la liste.

arriver – vaudrait – sûre – devrais – hésiterais – conseille

– Christina, j'ai besoin de ton aide ! Est-ce que tu penses que je peux faire carrière dans la musique ?
– Tu .... te renseigner : ce n'est pas facile d'être artiste ! Il .... mieux aller voir un conseiller d'orientation !
– J'en ai vu un et il m'a conseillé de préparer le concours pour devenir professeur.
– Ah oui, c'est une bonne idée, mais je te .... de t'inscrire rapidement au concours !
– Je ne sais pas, ça a l'air difficile...
– Franchement, si j'étais toi, je n'............................ pas !
– Ah bon ? Tu crois ?
– Oui, tu vas y............................ ! J'en suis .... !

Grammaire

4 À quels temps sont conjugués les verbes ? Cochez la bonne réponse.

	Présent	Futur simple
a. De nouveaux métiers apparaîtront dans les prochaines années	☐	☐
b. Vous devrez suivre des formations pour exercer cette profession.	☐	☐
c. Les jeunes veulent trouver du travail rapidement.	☐	☐
d. Tu feras un stage dans cette entreprise à la fin de l'année.	☐	☐
e. Je sais me servir de ces logiciels.	☐	☐

5 Conjuguez les verbes au présent.

WEBDESIGNER : POUR LES CRÉATIFS DE DEMAIN !

Qu'est-ce qu'un webdesigner ? Beaucoup d'étudiants ne .... (savoir) pas vraiment : « Devenir webdesigner ? Non merci, je ne .... (vouloir) pas passer ma vie devant un écran ! En plus, je suis nul en maths ! » Mais c'est un métier qui demande surtout des qualités artistiques : le webdesigner .... (devoir) dessiner et concevoir le graphisme d'un site ou d'un produit sur une page web. Si vous devenez webdesigner, vous .... (pouvoir) travailler pour un studio de création de sites Internet, le service communication d'une entreprise, ou être indépendant.

Compréhension des écrits

6 Lisez le document et répondez aux questions.

Fiche métier – ROBOTICIEN

▶ **Qu'est-ce qu'il fait ?**
Il fabrique des robots grâce aux nouvelles technologies pour les secteurs de l'industrie, de la santé ou encore de la sécurité. Le roboticien doit s'occuper de la fabrication mécanique du robot et de sa programmation. Il doit réaliser des tests et contrôler le bon fonctionnement du robot.

▶ **Il travaille où ?**
Le roboticien travaille dans des laboratoires de recherche, des ateliers de fabrication, des entreprises... Il doit souvent se déplacer pour aller chez le client.

▶ **Comment on devient roboticien ?**
Il faut suivre une formation de 5 ans :
• 5 ans à l'université pour obtenir un master (Bac + 5) en robotique ou électronique
ou
• 2 années préparatoires + 3 ans en école d'ingénieur.

a. **Vrai ou faux ?**

	Vrai	Faux
1. Le roboticien utilise des outils traditionnels.	☐	☐
2. Il travaille en équipe.	☐	☐
3. Il doit étudier pendant 5 ans.	☐	☐

b. **Pour quels secteurs il peut travailler ?**
▶ ....
▶ ....
▶ ....

c. **Qu'est-ce que le roboticien doit faire ?**
1. Dessiner les robots. ☐
2. Fabriquer les robots ☐
3. Programmer les robots. ☐
4. Acheter les robots. ☐

d. **Il peut travailler où ?**
1. Dans des laboratoires. ☐
2. Dans des universités. ☐
3. Dans des ateliers. ☐
4. Dans des usines. ☐
5. Dans des entreprises. ☐

e. **Combien de temps doit-il étudier en école d'ingénieur ?**
....

Production écrite

7 Un(e) de vos ami(e)s francophones aimerait travailler dans le secteur de l'environnement.
Vous lui écrivez pour lui donner des conseils et vous l'encouragez.

....
....
....
....
....
....
....
....

3. Découvrons des métiers

Compréhension de l'oral 🎧 76

1 Cochez la bonne réponse.

a. **Vrai ou faux ?**

	Vrai	Faux
1. Lisa et Roberto travaillent dans un aéroport.	☐	☐
2. Lisa et Roberto sont des voyageurs professionnels.	☐	☐
3. Lisa et Roberto voyagent toujours en voiture.	☐	☐

b. **Qu'est-ce que Lisa et Roberto font pendant leurs voyages ?**

1. Ils publient des vidéos de leurs voyages sur Internet. ☐
2. Ils font découvrir la France aux étrangers. ☐
3. Ils réalisent des photos pour un magazine de tourisme. ☐

c. **Pourquoi les Offices du tourisme travaillent avec Lisa et Roberto ?**

1. Parce que Lisa et Roberto parlent très bien anglais. ☐
2. Parce que Lisa et Roberto ont beaucoup d'abonnés. ☐
3. Parce que Lisa et Roberto connaissent bien ces pays. ☐

2 Répondez aux questions suivantes.

a. **Lisa et Roberto vont où aujourd'hui ?** ....

b. **Combien sont-ils payés environ ?** ....

Lexique

3 Retrouvez les mots à l'aide des définitions et des lettres données.

a. **Q _ _ _ I _ _** : c'est un aspect positif, c'est le contraire de « défaut ».

b. **P _ _ _ I _ _** : c'est l'amour, l'intérêt très fort pour quelque chose... ou quelqu'un !

c. **P _ _ I _ _ _ _** : c'est savoir ne pas s'énerver devant les difficultés, les erreurs...

d. **E _ P _ _ _ _ E** : c'est savoir se mettre à la place de l'autre, de comprendre ses émotions.

4 Complétez le texte avec les mots de la liste.

équipe - parler - passionné - flexibles - s'adapter

Profession : acteur !

Pour être acteur, il faut naturellement être .... et avoir du talent, mais il faut aussi avoir beaucoup de technique ! Les acteurs peuvent être amenés à travailler dans différents secteurs : cinéma, télévision, doublage, radio, publicité... Mais partout, un acteur doit savoir .... aux exigences de son rôle et travailler en .... Ensuite, les conditions de travail sont parfois difficiles : horaires décalés, déplacements fréquents (tournées, festivals, promotions)... On demande aux acteurs d'être très .... ! Enfin, pour obtenir un rôle, un acteur doit être polyvalent : jouer d'un instrument de musique, chanter, danser ou .... une langue étrangère sont des atouts qui peuvent faire la différence dans cet univers très concurrentiel.

Grammaire

5 Placez les adverbes dans les phrases, comme dans l'exemple.

Exemple : **On recrute dans ce secteur. (beaucoup)** → *On recrute beaucoup dans ce secteur.*

a. Tu maîtrises trois langues. (parfaitement) → ....

b. À cause de mon travail, je me déplace en avion. (toujours) → ....

c. Nous connaissons ce secteur professionnel. (bien) → ....

d. Vous vous intéressez au milieu de la mode. (peu) → ....

e. Les voyageurs publient des vidéos sur Internet. (régulièrement) → ....

Compréhension des écrits

 6 Lisez le texte suivant.

MÉTIER DE BOULANGER : QUELLES QUALITÉS FAUT-IL ?

Pour devenir boulanger, il faut avant tout aimer le travail manuel. Fabriquer du pain est un travail physique. De plus, le boulanger doit se lever très tôt le matin pour faire du pain. Il y a plusieurs raisons d'exercer ce métier : l'amour du pain, d'abord, et aussi l'envie de partager un savoir-faire et de faire plaisir à ses clients Il faut être rigoureux et régulier pour maîtriser la technique de la fabrication du pain, des pâtisseries et des gâteaux. En plus de ses compétences d'artisan, le boulanger doit aussi être un bon commerçant : avoir un contact facile avec les gens, être aimable et souriant sont des qualités indispensables. D'autre part, certains artisans boulangers ont une équipe de collaborateurs à gérer. Dans ce cas, ils doivent servir de modèles et être capables de former les plus jeunes.

D'après *Le Parisien Étudiant*, « Fiche métier : boulanger ».

a. **Vrai ou faux ?**

	Vrai	Faux
1. Le travail de boulanger est fatigant.	☐	☐
2. C'est un travail dangereux.	☐	☐
3. Les horaires de travail sont souples.	☐	☐

b. **Que faut-il faire pour maîtriser la technique de fabrication du pain ?**

....

c. **D'après l'article, un boulanger doit aussi...**
1. plaire à ses clients. ☐
2. informer ses clients. ☐
3. garder ses clients. ☐

d. **Quand un boulanger travaille en équipe, il doit parfois...**
1. former des apprentis. ☐
2. parler une langue étrangère. ☐
3. découvrir de nouvelles techniques. ☐

Production écrite

7 Gardien d'île paradisiaque ! Imaginez une annonce de recrutement pour cette profession originale. Décrivez la profession et les qualités nécessaires pour l'exercer.

Compréhension de l'oral 🎧 77

1 ▶ Vrai ou faux ?

	Vrai	Faux
a. Pour Marco Kara, le look est important au travail.	☐	☐
b. C'est important d'être à l'aise dans ses vêtements.	☐	☐
c. On doit choisir ses vêtements en fonction de sa personnalité.	☐	☐

2 ▶ Répondez aux questions.

a. **Que doit porter un homme qui travaille dans la finance ?**
   1. Un costume. ☐
   2. Une cravate. ☐
   3. De belles chaussures. ☐

b. **Selon Marco Kara, dans quels secteurs on peut être plus original ?**
   1. La mode et le stylisme. ☐
   2. La publicité et le monde artistique. ☐
   3. La communication et les médias. ☐

c. **Qu'est-ce qu'il ne faut pas porter le jour d'un entretien ?**
   1. Un jean. ☐
   2. Du rouge. ☐
   3. Trop de maquillage. ☐
   4. Des vêtements démodés. ☐
   5. Une cravate. ☐
   6. Une jupe trop courte. ☐

d. **Qu'est-ce qu'on peut porter d'original par exemple ?**...

Lexique

3 ▶ Complétez le dialogue avec les expressions de la liste.

à l'aise – goût – présentable – confortable

– Bonjour Mademoiselle !
– Bonjour Madame !
– Je peux vous aider ?
– Oui, j'ai besoin de trouver une tenue pour le travail...
– Ah ! Et vous travaillez dans quel domaine ?
– Dans la vente...
– Si vous travaillez en contact avec les clients, il faut être .... Que pensez-vous de cette robe ?
– Euh... Je n'aime pas les tenues trop strictes. J'ai besoin d'être ....
– Et ce pantalon noir ? Il est très chic !
– Oui... En plus, il a l'air .... !
– Tout à fait ! Si j'étais vous, je le porterais avec cette veste.
– Ah oui ! Merci beaucoup, vous avez bon ....

Grammaire

4 ▶ Quel est le sens du verbe en gras ? Cochez la bonne réponse.

	Sens présent	Sens futur
a. Dans cette entreprise, on ne **peut** pas porter de jean.	☐	☐
b. Jasmine **passe** un entretien demain après-midi.	☐	☐
c. Les salariés **portent** un uniforme élégant mais inconfortable.	☐	☐
d. David **se fait tatouer** le mois prochain.	☐	☐

Compréhension des écrits

 5 **Lisez l'article.**

Cool mais pas trop !

De façon générale, il existe des codes vestimentaires dans les métiers en relation avec des clients, comme la finance, l'assurance ou les métiers juridiques. D'autres métiers, comme ceux de l'enseignement, du design, du social ou de l'audiovisuel, sont moins stricts sur les tenues des employés. Mais attention au style trop décontracté dans les contextes professionnels. C'est ce que Max, infographiste, confirme : « À l'époque, je sortais d'une école d'art et je n'avais pas un look très classique : je portais des jeans sales, des tee-shirts troués et des chaussures de sport usées. Lors de mon premier entretien d'embauche, le recruteur m'a dit : "Je suis désolé, mais je ne peux pas travailler avec vous, vous avez le même look que mon fils de 14 ans !" Ça m'a beaucoup étonné, ça a été un vrai choc pour moi parce que je n'y ai pas pensé avant ! » Depuis cette mésaventure, Max porte des chemises, un pantalon noir et des chaussures classiques quand il a un rendez-vous professionnel.

D'après *Le Point*, « *Dress code*, mode d'emploi », 6 octobre 2011.

a. **Vrai ou faux ?**

	Vrai	Faux
1. Il faut toujours être habillé de façon classique au travail.	☐	☐
2. Les codes vestimentaires sont différents en fonction du métier.	☐	☐
3. Il faut éviter de s'habiller de façon trop stricte.	☐	☐

b. **Quelle est la profession de Max ?**

....

c. **Pourquoi le recruteur n'a pas embauché Max ?**

1. À cause de son look trop décontracté. ☐
2. À cause de ses vêtements très classiques. ☐
3. À cause de son âge. ☐

d. **Quand il l'a comparé à son fils, qu'est-ce que Max a ressenti ?**

1. De la colère. ☐
2. De la honte. ☐
3. De la surprise. ☐

e. **Qu'est-ce que Max a décidé de faire ?**

....

Production écrite

6 **Voici Franck et Hana à leur travail. Observez comment ils sont habillés.**
Vous pensez qu'ils travaillent dans quel secteur ? Expliquez votre choix.

1 Imparfait ou passé composé ? Cochez la bonne réponse.

	Imparfait	Passé composé
a. J'étais au lycée Paul Eluard.	☐	☐
b. Aurélien est devenu médecin l'année dernière.	☐	☐
c. Stéphane et Amélie ont fait leurs études ensemble.	☐	☐
d. Vous avez choisi quelle voie ?	☐	☐
e. Plus jeune, tu avais envie de devenir médecin.	☐	☐

2 Conjuguez les verbes au passé composé ou à l'imparfait.

MON PARCOURS

Quand j'................ (être) enfant, je .... (vouloir) être écrivain. Puis, quand je ....(obtenir) mon bac, je.. (changer) d'avis et je .... (choisir) de faire des études de droits pour devenir avocate ! Mais quand je .... (entrer) en licence de droit à l'université, ça .... (être) un vrai choc : ce .... (ne pas être) du tout ce que je .... (croire) et cela ne me .... (plaire) pas du tout ! Finalement, je .... (décider) de changer de voie. Je .... (suivre) une formation et je .... (devenir) fleuriste !

3 Complétez le texte avec les verbes de la liste.

peuvent – pouvez – savez – doivent – voulez – voulons

NUMÉRICODE

Notre mission

Nous .... FORMER LES PROFESSIONNELS DE L'INFORMATIQUE DE DEMAIN !

Les conditions d'accès

VOUS .... UTILISER UN ORDINATEUR ? VOUS .... VOUS FORMER AUX MÉTIERS DU NUMÉRIQUE ? ALORS, VOUS .... INTÉGRER NOTRE ÉCOLE DE PROGRAMMATION... ENTIÈREMENT GRATUITE!

Formation et débouchés

NOS ÉTUDIANTS .... SUIVRE UN AN DE FORMATION INTENSIVE DANS NOTRE ÉCOLE, PUIS UN AN DE PROFESSIONNALISATION EN ENTREPRISE. ENSUITE, ILS .... RAPIDEMENT TROUVER DU TRAVAIL DANS LE SECTEUR DE L'INFORMATIQUE.

4 Quel est le sens des adverbes en gras ? Cochez la bonne réponse.

	Manière	Fréquence	Quantité
a. Notre entreprise accueille **régulièrement** des stagiaires.	☐	☐	☐
b. Ces lycéens parlent **parfaitement** plusieurs langues !	☐	☐	☐
c. Depuis son stage, Nina cuisine **vite**.	☐	☐	☐
d. Ce secteur recrute **peu**. Quel dommage !	☐	☐	☐
e. Tu gardes **toujours** ton sang-froid...	☐	☐	☐

5 Conjuguez les verbes au futur.

a. À la sortie de l'école d'infirmière, tu .... (savoir) faire des piqûres.

b. Virginia et Laurence .... (être) bientôt en licence.

c. Dans quelques années, il y .... (avoir) beaucoup plus de robots dans le monde de l'entreprise !

d. L'année prochaine, nous .... (aller) en stage à l'étranger.

e. Vous .... (recevoir) vos résultats d'examens par mail.

f. Grâce à ma formation, je .... (pouvoir) trouver du travail rapidement.

6 Imaginez la suite et complétez.

a. Si vous voulez intégrer cette école, ...

b. Si tu travailles sérieusement, ...

c. Si Lisa obtient son diplôme, ...

d. Si Christophe et Lucas ne travaillent pas, ...

7 Associez les débuts et les fins de phrases.

a. Si vous voulez travailler dans les ressources humaines,

b. Si tu deviens boulanger,

c. Si tu te sens perdu,

d. Si tu adores les jeux vidéo,

e. Si vous êtes passionnés par les voyages,

1. deviens joueur professionnel !

2. vous pouvez travailler dans le secteur du tourisme.

3. vous devez faire preuve d'empathie.

4. va voir un conseiller d'orientation !

5. tu devras te lever très tôt pour faire ton pain...

8 Remettez les phrases dans l'ordre

a. avocats / doivent / beaucoup / Les / étudier.

→ ....

b. m' / métier / Le / intéresse / de / médecin / peu.

→ ....

c. conseiller / Le / aidé / d'orientation / bien / m'a.

→ ....

d. te / boulanger ? / toujours / d'être / tente / Ça /

→ ....

e. Il / vite / trouvé / un / a / travail.

→ ....

9 Soulignez les verbes au futur, puis donnez leur infinitif

> Lundi, Théo a un entretien d'embauche. Avant, il ira en centre-ville pour faire du shopping. Il dira qu'il cherche des vêtements pour un entretien. Le jour de l'entretien, il mettra sa nouvelle tenue et il devra enlever ses piercings. Il a préparé son entretien : il parlera de son parcours et de compétences. Il n'oubliera pas ses qualités : il est patient, garde son sang-froid et sait s'adapter.

a. ....   d. ....

b. ....   d. ....

c. ....   f. ....

Les sons [f] et [v]

1 Écoutez. Vous entendez le son [f] ou le son [v] ? Cochez la bonne réponse. 🎧 78

	[f]	[v]		[f]	[v]		[f]	[v]
a.	☐	☐	c.	☐	☐	e.	☐	☐
b.	☐	☐	d.	☐	☐	f.	☐	☐

2 Écoutez, répétez et complétez avec « f » ou « v ». 🎧 79

a. Ou....! Bra....o !

b. C'est ....rai ou c'est ....aux ?

c. C'est ....ini ! En....in !

d. C'est ....acile, tu ....erras !

e. Qu'est-ce que vous ....aites dans la ....ie ?

3 Écoutez. Vous avez entendu quel mot ? Cochez la bonne réponse. 🎧 80

a.	fin	☐	vingt	☐
b.	neuf	☐	neuve	☐
c.	il faut	☐	il vaut	☐
d.	enfin	☐	en vain	☐
e.	ils font	☐	ils vont	☐
f.	je fais	☐	je vais	☐

4 Écoutez et répétez. Combien de fois vous entendez [v] ? 🎧 81

a. ..... fois   d. ..... fois

b. ..... fois   e. ..... fois

c. ..... fois   f. ..... fois

5 Lisez, écoutez et répétez. Soulignez les lettres qui font le son [f]. 🎧 82

a. Vas-y Sophie ! Fonce !

b. Il faut faire des efforts !

c. Mon frère veut être coiffeur.

d. Eve est photographe.

e. C'est une profession difficile.

6 Écoutez et écrivez les phrases. 🎧 83

a. → ....

b. → ....

c. → ....

d. → ....

e. → ....

f. → ....

7 Écoutez ce petit dialogue. Puis jouez-le à deux en faisant bien la différence entre [f] et [v]. 🎧 84

– Salut Tiphanie ! Comment ça va ? Tu as trouvé ta voie ?

– Oui, évidemment !

– C'est vrai ? Qu'est-ce que tu veux faire ?

– J'ai envie d'être avocate !

– Avocate ? C'est difficile ! Tu as vu un conseiller ?

– Oui, il dit que j'ai le profil : j'aime travailler, je suis une bonne élève, j'ai beaucoup de volonté !

– Alors vas-y ! Fonce !

Lexique

1 Retrouvez les mots de l'unité. Aidez-vous des lettres et des définitions.

a. **C Y É L E :** Les élèves de cet établissement scolaire ont entre 15 et 18 ans. → ....

b. **C A L A C A B A T U R É :** diplôme qu'on obtient en général à 18 ans. → ....

c. **C E N I L E C :** diplôme obtenu après 3 ans d'études à l'université. → ....

d. **R E M I T É :** synonyme de profession. → ....

2 Complétez les phrases avec les mots de la liste.

parcours – filière – études – école

a. La .... littéraire m'intéresse beaucoup : j'adore lire !

b. Avant de passer le concours, je te conseille d'intégrer cette .... préparatoire.

c. Il faut faire de longues .... pour devenir médecin.

d. J'ai suivi un .... très classique : après le bac, je suis allé à l'université et je suis devenu professeur.

3 Retrouvez huit professions dans la grille suivante. Ils sont cachés horizontalement (→), de gauche à droite.

B	E	Z	E	D	Z	Y	R	U	Z	Y	W	U	F
U	X	S	E	A	G	F	B	L	F	L	P	E	J
B	O	U	L	A	N	G	E	R	Y	G	E	E	Y
E	S	P	I	O	N	G	R	N	O	F	M	M	O
F	L	E	U	R	I	S	T	E	O	D	F	M	D
C	O	I	F	F	E	U	R	Q	U	E	H	Z	E
V	M	E	D	E	C	I	N	X	A	X	G	E	A
A	V	O	C	A	T	H	H	R	J	R	Q	I	R
E	B	K	O	I	N	F	I	R	M	I	E	R	Z
A	G	R	I	C	U	L	T	E	U	R	Y	E	Y
C	U	B	N	S	Y	U	B	H	Z	E	R	V	E
U	K	Y	A	F	A	U	O	A	R	O	P	W	X
F	Y	I	A	Q	D	G	N	O	X	J	Q	I	I
Q	U	E	Y	F	F	O	I	D	G	I	U	I	N

4 Remettez les phrases dans l'ordre.

a. plaît. / ne / Rien / me

→ ....

b. m' / Le / intéresse ! / de / médecin / métier

→ ....

c. tenté / essayer ! / Ça / d' / m'a

→ ....

d. intéressant /d' / trouvé / étudier. / J'ai / ça

→ ....

5 Associez les débuts et les fins de phrases.

a. Je te conseille de

b. Vas-y,

c. Vous devez

d. Si j'étais toi,

1. vous habiller correctement le jour de l'entretien.

2. fonce !

3. je discuterais avec mes parents.

4. t'inscrire dans cette école préparatoire.

Apprendre à apprendre

Écouter et comprendre un document audio

1 Je prépare mon écoute : je repère le type de document.

Associez les questions et les types de documents.

a. Pourquoi Mme Dupont est en colère contre son mari ?

b. Le magasin ferme dans combien de temps ?

c. Quel temps fera-t-il demain ?

d. Comment s'appelle le chanteur ?

1. Un bulletin météo.

2. Une conversation entre 2 personnes.

3. Une interview.

4. Une annonce publique.

2 Je lis les questions avant et je cherche « qui ? », « quoi ? »

Lisez les questions.

> a. Amelle et Manon ont rendez-vous dans quel type de restaurant ?
>   **1.** Une pizzeria.   **2.** Un restaurant végétarien.   **3.** Une crêperie
> b. Amelle est arrivée à quelle heure ?
>   **1.** 19 h   **2.** 19 h 30   **3.** 20 h

a. Il y a combien de personnages ? ....

b. Cela se passe où ? ....

c. Cela se passe à quel moment ? ....

3 Je lis attentivement les questions : quelles informations je devrai chercher ?

Lisez les questions.

a. Vous avez rendez-vous à quelle heure avec votre ami ?

b. Vous devez le retrouvez où exactement ?

c. Pourquoi il est en retard ?

Quand vous écouterez , devrez repérer quelles informations ? Cochez les bonnes réponses

a. Une date.   ☐   b. Un horaire.   ☐   c. Un lieu.   ☐   d. Un nom.   ☐

4 J'écoute et je fais attention aux indices : les sons, les intonations.

Écoutez, puis associez les situations et les documents. 🎧 85

a. Flash d'information à la radio.   Document n° ....

b. Message d'information dans une gare.   Document n° ....

c. Conversation dans un restaurant.   Document n° ....

d. Conversation au téléphone.   Document n° ....

e. Personnage en colère.   Document n° ....

5 J'écoute deux fois.

Écoutez une 1ʳᵉ fois le document, puis commencez à répondre aux questions. 🎧 86
Écoutez une nouvelle fois le document, puis vérifiez et complétez vos réponses.

a. **Quelle est la profession de Marc ?**

   1. Traducteur.   ☐   **2.** Journaliste.   ☐   **3.** Professeur.   ☐

b. **Quel est le plus important quand on apprend une langue selon Marc ? Cochez la bonne réponse.**

   1. La motivation.   ☐

   2. La concentration.   ☐

   3. La prononciation.   ☐

c. **À quelle fréquence faut-il travailler ?** ....

Portfolio

	Oui	Pas complètement	Pas encore
Langue			
Je sais utiliser le passé composé et l'imparfait dans un récit.			
Je sais présenter plusieurs professions.			
Je sais exprimer la possibilité, la volonté, la connaissance et l'obligation.			
Je peux exprimer un sens futur avec le présent.			
Grammaire			
Je sais utiliser et conjuguer les verbes pouvoir, devoir, vouloir, savoir au présent.			
Je maîtrise la conjugaison de verbes irréguliers au futur simple.			
Je connais le rôle de l'adverbe et je sais le placer dans une phrase.			
Je sais exprimer la condition avec *si* + le présent			
Lexique			
Je connais des mots et expressions relatifs au parcours scolaire, universitaire et professionnel.			
Je connais les noms de plusieurs professions.			
Je peux exprimer mon intérêt ou mon désintérêt pour un métier, un secteur			
Je peux conseiller et encourager.			
Je peux parler des compétences et des qualités professionnelles			
Je peux parler d'une tenue vestimentaire.			
Phonétique			
Je distingue les sons [f] et [v].			
Je prononce correctement [f] et [v].			
Civilisation			
Je connais les secteurs qui recrutent en France.			
Je connais plusieurs professions liées aux nouvelles technologies, à l'environnement.			

Compréhension de l'oral

*Vous allez entendre trois enregistrements, correspondant à trois documents différents. Pour chaque document, vous aurez :
30 secondes pour lire les questions ; une première écoute, puis 30 secondes de pause pour commencer à répondre
aux questions ; une seconde écoute, puis 30 secondes de pause pour compléter vos réponses. Répondez aux questions
en cochant (X) la bonne réponse ou en écrivant l'information demandée.*

Exercice 1 🎧 87

Lisez les questions. Écoutez le document puis répondez. Vous entendez ce message sur votre téléphone.

1. **Pourquoi est-ce que M. Dubois laisse ce message ?**
   a. Pour vous dire que vous êtes en retard au rendez-vous. ☐
   b. Pour vous rappeler que vous avez rendez-vous. ☐
   c. Pour vous proposer un autre rendez-vous. ☐

2. **Vous avez rendez-vous à quelle heure ?**
   ....

3. **Qu'est-ce que vous devez apporter ?**
   a. Des documents remplis par vos parents. ☐
   b. Des documents remplis par vos conseillers. ☐
   c. Des documents remplis par vos professeurs. ☐

4. **De quoi vous allez discuter avec M. Dubois ?**
   ....

5. **Où se trouve le Centre d'information et d'orientation ?**
   a. 15 rue Malraux. ☐
   b. 15 avenue Diderot. ☐
   c. 15 boulevard Rousseau. ☐

6. **Quel est le numéro de téléphone de M. Dubois ?**
   a. 06 66 70 88 99 ☐
   b. 06 67 76 90 88 ☐
   c. 06 76 67 98 89 ☐

Exercice 2 🎧 88

Lisez les questions. Écoutez le document puis répondez.

1. **La rubrique de Joël est prévue à quelle heure ?**
   ....

2. **De quoi Joël va parler ?**
   a. Des métiers de la santé. ☐
   b. Des professions liées à l'environnement. ☐
   c. Du domaine touristique. ☐

3. **Selon Joël, quelle est la particularité de ce secteur ?**
   a. Il recrute beaucoup. ☐
   b. Il est réservé aux hommes. ☐
   c. Il exige de longues études. ☐

4. **Combien de temps dure la formation pour exercer
   la profession dont parle Joël ?**
   ....

5. **Quel type de diplôme Quentin prépare ?**
   a. Une licence professionnelle. ☐
   b. Un master professionnel. ☐
   c. Un bac professionnel. ☐

6. **Quelle est la profession de Raphaël ?**
   a. Technicien. ☐
   b. Urbaniste. ☐
   c. Orthophoniste. ☐

Exercice 3 🎧 89

**Vous allez entendre 2 fois 4 dialogues, correspondant à 4 situations différentes. Lisez les situations.
Écoutez le document puis reliez chaque dialogue à la bonne situation.**

Dialogue 1 ●   ● Encourager
Dialogue 2 ●   ● Exprimer un souhait
Dialogue 3 ●   ● Exprimer l'obligation
Dialogue 4 ●   ● Conseiller

Compréhension des écrits

Exercice 4

Vous êtes avec des amis français. Vous cherchez une profession qui vous plaît. Associez la personne et la profession.

A. Paysagiste
C'est un technicien. il crée et aménage des espaces verts, des jardins, des parcs. il connaît très bien les plantes et les fleurs.

B. Graphiste
C'est un artiste capable de dessiner sur des supports numériques. Il met en images et en couleurs des idées, des concepts...

C. Kinésithérapeute
Il réalise des massages des muscles douloureux de personnes malades ou qui ont eu un accident. Il travaille à l'hôpital ou dans un cabinet.

D. Journaliste
Il recueille et diffuse des informations grâce à ses articles ou ses vidéos. Il peut travailler à la télévision, à la radio, pour la presse écrite et sur Internet.

E. Hôtesse de l'air et steward
Ils accueillent les passagers à bord des avions. Ils assurent également leur sécurité pendant le voyage et leur confort. Ils servent les repas et donnent des informations dans plusieurs langues.

1. Amine s'intéresse à l'actualité et aux médias.

→...

2. Laura aime beaucoup les nouvelles technologies et le dessin. →..

3. Sébastien adore voyager et parle plusieurs langues.

→...

4. Maya cherche une profession liée à l'environnement.

→...

5. Lina aimerait travailler dans le secteur de la santé.

→...

Exercice 5

Vous lisez l'article suivant.

Horticulture : un secteur en pleine évolution sur l'île de La Réunion

Hugo, 18 ans, est en terminale au lycée agricole de Saint-Paul, sur l'île de La Réunion. Il est actuellement en stage d'horticulture : il cultive des fleurs et des plantes dans un champ à côté du lycée.

Il aime avoir les mains dans la terre et explique : « *Depuis que je suis petit, j'aime m'occuper des plantes, de la nature, contrairement au reste de ma famille. Pour l'instant, je ne sais pas vraiment quoi faire de ma vie, mais je serai peut-être agriculteur un jour ?* »

Son ami Sébastien, lui, travaille depuis quelques années comme horticulteur. « *Il y a du travail dans le secteur, mais il faut vraiment être passionné, car c'est très fatigant !* » explique-t-il, fier de voir ses plantes pousser. Ces dernières années sur l'île, de nombreux métiers se développent dans le secteur horticole comme paysagiste, jardinier, fleuriste ou encore arboriculteur.

D'après *info.re*, « La Réunion : l'horticulture, un secteur qui reecrute », 26 octobre 2017 ».

1. Hugo fréquente quel type d'établissement scolaire ?

....

2. Qu'est-ce que l'horticulture ?
  a. La culture des plantes et des fleurs. ☐
  b. L'entretien des jardins. ☐
  c. La protection de la nature. ☐

3. Pourquoi Hugo a choisi cette filière ?
  a. Parce que ses parents sont agriculteurs. ☐
  b. Parce qu'il aime la nature depuis qu'il est petit. ☐
  c. Parce qu'il veut devenir agriculteur. ☐

4. Quelle est la profession de Sébastien ?

....

5. Selon Sébastien, quelle qualité est nécessaire dans ce secteur ?

....

Production écrite

Exercice 6

Vous avez rencontré une personne qui exerce une profession qui vous plaît beaucoup. Vous écrivez à un(e) ami(e) francophone pour lui raconter ce que vous avez appris sur cette profession et ce qui a vous intéressé. (60 mots minimum)

....
....
....
....
....

Production orale

Exercice 7

Entretien dirigé (1 minute 30 environ)

Après avoir salué votre examinateur, vous vous présentez (vous parlez de vous, de vos études, de la profession que vous aimeriez exercer etc.)

Exercice 8

Monologue suivi (2 minutes environ)

Vous tirez au sort 2 sujets et vous en choisissez 1. Vous vous exprimez sur le sujet. L'examinateur peut ensuite vous poser des questions pour vous aider.

Sujet 1 *Secteur professionnel* Dans quel(s) secteur(s) travaillent vos parents ? Quel secteur vous intéresse le plus ? Vous aimeriez exercer quelle profession plus tard ?	**Sujet 2** *Tenue de travail* Comment vous vous habillez pour travailler ? Vous préférez les tenues confortables ou élégantes pour travailler ? Pourquoi ?

Exercice 9

Exercice en interaction (3 à 4 minutes environ)

Vous tirez au sort 2 sujets et vous en choisissez 1. Vous devez simuler un dialogue avec l'examinateur afin de résoudre une situation de la vie quotidienne. Vous montrez que vous êtes capable de saluer et d'utiliser des règles de politesse. Dans certains sujets, le genre masculin est utilisé pour alléger le texte. Vous pouvez naturellement adapter la situation en adoptant le genre féminin.

Sujet 1 *Recherche de job* Vous cherchez un job comme serveur/serveuse dans un restaurant. Vous posez des questions à un serveur pour avoir des informations et des conseils.	**Sujet 2** *Aider un ami* Un de vos amis a besoin d'aide pour choisir les études qu'il va suivre et la profession qu'il va exercer. Vous l'écoutez, vous lui donnez des conseils et vous l'encouragez.

Épreuve blanche > DELF A2

DIPLÔME D'ÉTUDES EN LANGUE FRANÇAISE DELF A2

Version scolaire et junior

Nature des épreuves	Durée	Note sur
Compréhension de l'oral Réponse à des questionnaires de compréhension portant sur trois ou quatre courts documents enregistrés ayant trait à des situations de la vie quotidienne. (2 écoutes) *Durée maximale des documents : 5 minutes*	25 min environ	/25
Compréhension des écrits Réponse à des questionnaires de compréhension portant sur trois ou quatre courts documents écrits ayant trait à des situations de la vie quotidienne.	30 min	/25
Production écrite Rédaction de deux brèves productions écrites (lettre amicale ou message) : • décrire un événement ou des expériences personnelles ; • écrire pour inviter, remercier, s'excuser, demander, informer, féliciter...	45 min	/25
Production orale Épreuves en trois parties : • entretien guidé ; • monologue suivi ; • exercice en interaction.	6 à 8 min *Préparation : 10 min*	/25

Seuil de réussite pour obtenir le diplôme : 50/100 Note minimale par épreuve : 5/25 Durée totale des épreuves collectives : 1 heure 40 minutes	**Note totale :**	/100

Partie 1

Compréhension de l'oral

25 points

CONSIGNES

Vous allez entendre 3 enregistrements, correspondant à 3 documents différents.
Pour chaque document, vous aurez ·
  – 30 secondes pour lire les questions ;
  – une première écoute, puis 30 secondes de pause pour commencer à répondre aux questions ;
  – une seconde écoute, puis 30 secondes de pause pour compléter vos réponses.
Répondez aux questions en cochant (☒) la bonne réponse ou en écrivant l'information demandée.

Exercice 1

7 points

1. **Où entendez-vous ce message ?**   *2 points*

☐   ☐   ☐

2. **Quelle station n'est pas desservie ?**   *1 point*

3. **Ce problème va durer jusqu'à...** *1,5 point*
   ☐ 3 heures.
   ☐ 13 heures.
   ☐ 16 heures.

4. **Quelle est la raison de cette perturbation ?**   *1,5 point*
   ☐ Il y a une manifestation.
   ☐ Il y a eu un accident.
   ☐ Il y a des travaux.

5. **Dans combien de temps arrive-t-on à la prochaine station ?**   *1 point*

Exercice 2

8 points

1. **Nora est en retard parce que...** *2 points*
   ☐ elle a dû discuter avec son professeur.
   ☐ elle a dû surveiller sa petite sœur.
   ☐ elle a dû aller chez le docteur.

2. **À quelle heure va-t-elle arriver ?**   *1 point*

3. **Quel type de film Nora propose-t-elle de voir ?**   *1 point*

4. Où avez-vous rendez-vous ?   *1 point*

☐   ☐   ☐

5. À quelle heure passe le film ?   *2 points*
☐ 18 h 30.
☐ 18 h 40.
☐ 19 h 40.

6. Comment s'appelle le cinéma ?   *1 point*
☐ Le Plazza.
☐ Le Palais.
☐ Le Palace.

Exercice 3 🎧⁸⁹   **9 points**

1. Depuis quand Paris célèbre la « nuit blanche » ?   *2 points*
☐ 2000.
☐ 2002.
☐ 2012.

2. Qu'est-ce que la « nuit blanche » ?   *2 points*
☐ Un événement culturel.
☐ Une manifestation sportive.
☐ Un festival de musique.

3. Paris a accueilli combien de visiteurs l'année dernière ?   *2 points*
☐ Un peu plus de dix mille.
☐ Presque cent mille.
☐ Environ un million.

4. À quelle heure s'arrête la « nuit blanche » ? .... *1 point*

5. Quel dispositif est mis en place pour la « nuit blanche » ?   *2 points*
☐ Le métro est entièrement gratuit jusqu'à minuit.
☐ Certaines lignes de métro sont ouvertes pendant la nuit.
☐ Les lignes 1 et 12 seront gratuites jusqu'à 2 h du matin.

Exercice 4 🎧⁹⁰   **2 points**

Vous allez entendre 2 fois 4 dialogues, correspondant à 4 situations différentes.
Lisez les situations. Écoutez le document puis reliez chaque dialogue à la situation correspondante.

Dialogue 1 ●   ● Donner un conseil
Dialogue 2 ●   ● Donner un ordre
Dialogue 3 ●   ● Proposer une sortie
Dialogue 4 ●   ● Demander de l'aide

Partie 2

Compréhension des écrits

25 points

Exercice 1

`7 points`

Lisez le document et répondez aux questions.

Enquête – Région Bourgogne

Vous avez entre 15 et 20 ans ? Votre avis nous intéresse !

➡ Quel(s) type(s) de musique écoutez-vous ? Cochez la ou les réponse(s) :
la pop, le rock ☐   le rap, le RNB ☐   le reggae ☐   l'électro ☐   autre ☐

➡ Quelle(s) activité(s) pratiquez-vous ? Cochez la ou les réponse(s) :
le foot ☐   le tennis ☐   le basket ☐   la danse ☐   autre ☐

➡ Qu'est-ce que vous préférez lire ? Cochez la ou les réponse(s) :
des romans ☐   des BD ☐   des magazines ☐   autre ☐

➡ Selon vous, est-ce qu'il y a suffisamment d'espaces de loisirs dans votre ville ?
oui ☐   non ☐

garçon ☐   fille ☐

âge : ....

Après avoir répondu à toutes les questions et rempli l'encadré, merci de renvoyer le formulaire par voie postale exclusivement à l'adresse suivante :
Région Bourgogne - Enquête Jeunesse
54 rue Vincent-Van-Gogh 21000 Dijon

---

1. **Qui peut remplir ce formulaire ?**   *2 points*
   ☐ Tout le monde.
   ☐ Les jeunes.
   ☐ Les retraités.

2. **Sur quoi portent les questions ?**   *1 point*
   ☐ Les loisirs.
   ☐ Les études.
   ☐ La santé.

3. **Qu'est-ce qu'il n'est pas nécessaire de préciser ?**   *2 points*
   ☐ Son âge.
   ☐ Son nom.
   ☐ Son sexe.

4. **Qui mène cette enquête ?** .... *1 point*

5. **Quand on a fini de répondre, que faut-il faire ?** .... *1 point*

Exercice 2

Lisez le mail et répondez aux questions.

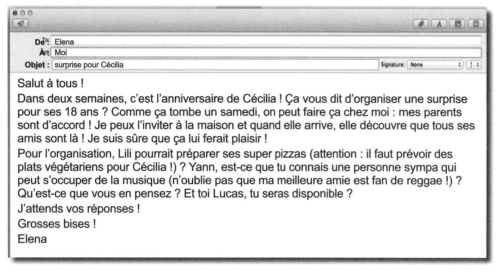

De : Elena
À : Moi
Objet : surprise pour Cécilia
Signature : None

Salut à tous !

Dans deux semaines, c'est l'anniversaire de Cécilia ! Ça vous dit d'organiser une surprise pour ses 18 ans ? Comme ça tombe un samedi, on peut faire ça chez moi : mes parents sont d'accord ! Je peux l'inviter à la maison et quand elle arrive, elle découvre que tous ses amis sont là ! Je suis sûre que ça lui ferait plaisir !

Pour l'organisation, Lili pourrait préparer ses super pizzas (attention : il faut prévoir des plats végétariens pour Cécilia !) ? Yann, est-ce que tu connais une personne sympa qui peut s'occuper de la musique (n'oublie pas que ma meilleure amie est fan de reggae !) ? Qu'est-ce que vous en pensez ? Et toi Lucas, tu seras disponible ?

J'attends vos réponses !

Grosses bises !

Elena

1. **Pour quelle raison est-ce qu'Elena envoie ce mail ?**   *1,5 point*

   ☐ Elle veut inviter Cécilia à son anniversaire.
   ☐ Elle veut préparer une fête pour Cécilia.
   ☐ Elle veut faire une surprise aux parents de Cécilia.

2. **Quand est-ce que Cécilia aura 18 ans ?**   *1,5 point*

   ☐ Samedi prochain.
   ☐ Dans 15 jours.
   ☐ Le mois prochain.

3. **Où Elena propose-t-elle de fêter l'événement ?** ....   *1 point*

4. **Quel type de plat devrait préparer Lili ?** ....   *1 point*

Exercice 3

Vous allez au cinéma avec vos amis mais ils ont des goûts différents ! Lisez le programme.

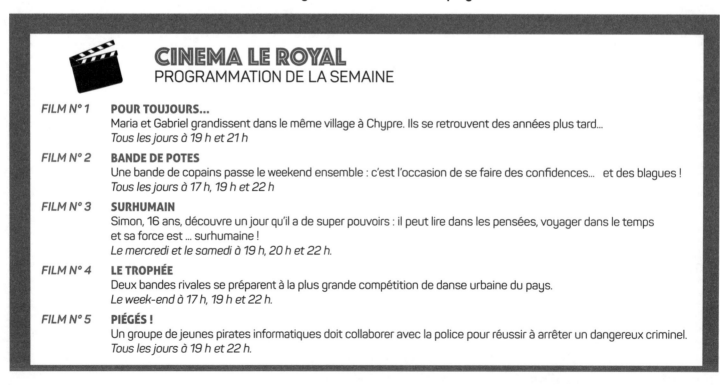

CINEMA LE ROYAL
PROGRAMMATION DE LA SEMAINE

FILM N° 1   **POUR TOUJOURS...**
Maria et Gabriel grandissent dans le même village à Chypre. Ils se retrouvent des années plus tard...
Tous les jours à 19 h et 21 h

FILM N° 2   **BANDE DE POTES**
Une bande de copains passe le weekend ensemble : c'est l'occasion de se faire des confidences...   et des blagues !
Tous les jours à 17 h, 19 h et 22 h

FILM N° 3   **SURHUMAIN**
Simon, 16 ans, découvre un jour qu'il a de super pouvoirs : il peut lire dans les pensées, voyager dans le temps et sa force est ... surhumaine !
Le mercredi et le samedi à 19 h, 20 h et 22 h.

FILM N° 4   **LE TROPHÉE**
Deux bandes rivales se préparent à la plus grande compétition de danse urbaine du pays.
Le week-end à 17 h, 19 h et 22 h.

FILM N° 5   **PIÉGÉS !**
Un groupe de jeunes pirates informatiques doit collaborer avec la police pour réussir à arrêter un dangereux criminel.
Tous les jours à 19 h et 22 h.

Quel est le film qui les intéresse ? Associez chaque personne et le film qui lui plaira.

Indiquez dans le tableau le chiffre correspondant.

AMIS	FILMS N°
Fred : Il aime rire, il est fan de comédie.	....
Sofia : Elle adore les films d'action, le suspense.	....
Lila : Les films de super-héros lui plaisent beaucoup !	....
Inès : Elle est très romantique, elle préfère les histoires d'amour.	....
Fatih : Il aime beaucoup le hip-hop et la danse.	....

Exercice 4

8 points

Lisez le mail et répondez aux questions.

LA FOLIE DES MANGAS

Notre pays est fou de ces bandes-dessinées japonaises ! Les jeunes Français découvrent d'abord la culture nippone au début des années 1980 à la télévision avec les dessins animés japonais, dans des émissions destinées à la jeunesse. Dix ans plus tard, le manga papier arrive sur notre territoire. Petits et pas chers, les mangas connaissent un immense succès auprès des adolescents. Les médias, eux, les critiquent : ils les trouvent « trop simples » et « trop violents ».

Aujourd'hui, notre pays est l'un des plus gros consommateurs de ces petits albums en noir et blanc : une BD sur trois vendues en France est un manga !

Guerre, amour, science-fiction : ce type de littérature qui parle de sujets très variés intéresse un large public, surtout les 15-20 ans. Mais les ventes de mangas ont diminué ces dernières années à cause de leurs versions numériques.

1. Comment les jeunes Français ont découvert la culture japonaise ?   2 points
   ☐ Avec les livres pour enfants.
   ☐ Avec les programmes télévisés.
   ☐ Avec les chansons japonaises.

2. Quand est-ce que les Français ont commencé à lire des mangas ?   1 point

3. Qu'est-ce qui a tout d'abord contribué au succès des mangas ?   1,5 point
   ☐ Leur simplicité et leur violence.
   ☐ Leur style et leurs couleurs.
   ☐ Leur format et leur prix.

4. Que dit l'article ?   1,5 point
   ☐ Les Français achètent trois fois plus de mangas que de BD.
   ☐ Les mangas font partie des BD les plus vendues en France.
   ☐ Un Français sur trois est un lecteur de mangas.

5. Pourquoi les mangas intéressent-ils un public aussi large ?   1 point

6. Pourquoi les Français achètent moins de mangas maintenant ?   1 point
   ....

DELF A2 – « Épreuve blanche »

Partie 3

Production écite

25 points

Exercice 1

13 points

Vous participez à un forum de lycéens francophones sur le thème « mes plus belles vacances ».
Vous racontez et décrivez les plus belles vacances que vous avez passées. Cela peut être un récit fictif ! (60 à 80 mots).

Exercice 2

12 points

> **De :** Arthur
> **À :** Moi
>
> Signature: None
>
> Ça va ? Vendredi soir, c'est la fête de mon lycée ! Il y aura de la musique, ce sera super.
> Tu veux venir ? Je pourrai te présenter mes amis !
>
> J'attends ta réponse !
>
> Arthur

Vous avez reçu ce mail de votre ami Arthur. Vous refusez l'invitation d'Arthur, vous présentez vos excuses et vous expliquez pourquoi vous ne pouvez pas venir. Vous lui proposez de vous retrouver un autre jour. (60 à 80 mots)

Partie 4

Production orale

25 points

L'épreuve se déroule en trois parties. Elle durera de 6 à 8 minutes.
La première partie se déroule sans préparation. Après présentation des sujets des parties 2 et 3,
vous aurez 10 minutes de préparation.

Entretien dirigé (1 minute 30 environ)

Après avoir salué votre examinateur, vous vous présentez (vous parlez de vous, de votre famille,
de vos amis, de vos études, de vos goûts, des animaux que vous aimez, etc.).
L'examinateur vous pose des questions complémentaires sur ces mêmes sujets.

Monologue suivi (2 minutes environ)

Vous tirez au sort 2 sujets et vous en choisissez 1. Vous vous exprimez sur le sujet.
L'examinateur peut ensuite vous poser des questions pour vous aider.

> Sujet 1   *Le cinéma*
>
> Est-ce que vous aimez aller au cinéma ? Est-ce que vous aimez y aller seul ou avec des amis ?
> Quel est votre film préféré ?

> Sujet 2   *Meilleur(e) ami(e)*
>
> Est-ce que vous avez un(e) meilleur(e) ami(e) ? Vous vous connaissez depuis combien de temps ?
> Qu'est-ce que vous aimez faire ensemble ? Décrivez-le/la.

Exercice en interaction (3 à 4 minutes environ)

Vous tirez au sort 2 sujets et vous en choisissez 1. Vous devez simuler un dialogue avec l'examinateur afin
de résoudre une situation de la vie quotidienne. Vous montrez que vous êtes capable de saluer et d'utiliser
des règles de politesse.

> Sujet 1   *Tourisme en France*
>
> Vous êtes en vacances dans une ville française. Vous allez à l'office du tourisme et vous posez des
> questions sur les lieux à voir et les activités à faire dans la ville.
> L'examinateur joue le rôle d'agent d'accueil de l'Office du tourisme.

> Sujet 2   *À la gare*
>
> Vous êtes en vacances en France. Vous voulez prendre le train pour visiter la région. Vous allez à la
> gare et vous posez des questions sur les horaires des trains et les prix des billets.
> L'examinateur joue le rôle de l'agent.

Unités 1 à 6 — LEXIQUE

Unité 1

adorer ....

aimer ....

l'anglais ....

un animal, des animaux ....

un animal de compagnie ....

bavard(e) ....

le centre ....

le centre commercial ....

le centre-ville ....

c'est dommage ....

c'est sympa ....

chaque week-end ....

un chat ....

un chien ....

la chimie ....

la circulation ....

un cochon ....

le comportement ....

concentré(e) ....

une date ....

de 14 heures à 23 heures ....

détester ....

les docks ....

donner une date, un horaire ....

du samedi au dimanche ....

durant 33 heures ....

l'éducation physique et sportive ou EPS ....

....

les enfants ....

être désolé(e) ....

être en retard ....

exprimer ses goûts ....

....

la famille ....

la femme ....

la fille ....

le fils ....

le français ....

le frère ....

la géographie ....

les goûts ....

l'histoire ....

un horaire ....

un lapin ....

les 2 et 3 septembre ....

le mari ....

les mathématiques (les maths) ....

....

les matières ....

la mère ....

non stop ....

les parents ....

le père ....

la physique ....

une pipelette ....

le port ....

préférer ....

les préférences ....

un reptile ....

sérieux / sérieuse ....

les sciences ....

les sciences de la vie et de la terre ou SVT ....

....

un singe ....

la sœur ....

le sport ....

un spot ....

une tortue ....

la ville ....

Unité 2

à gauche, à droite ....

aller en bus, en métro ....

aller à pied, à vélo ....

une araignée ....

arriver ....

au bord de la Seine ....

un boulodrome ....

le bus ....

c'est à 5 minutes ....

le chemin ....

comprendre ....

continuer ....

dans le quartier latin ....

d'en haut ....

descendre ....

la faune ....

une forêt ....

une île ....

indiquer un chemin ....

la jungle ....

jusqu'à la tour Eiffel ....

un lémurien ....

les loisirs ....

le long du canal Saint-Martin ....

se déplacer ....

une mangrove ....

une montagne ....

monter à / au... ....

un oiseau ....

un parc aquatique ....

pardon ? ....

partir de ....

les paysages ....

le ping-pong ....

une piscine ....

une plage ....

un poisson ....

prendre la 2ᵉ rue ....

se promener (sur) ....

rentrer ....

répéter ....

vous pouvez répéter ? ....

une rizière ....

la savane ....

un serpent ....

situer ....

un skate-park ....

sur les Champs-Elysées ....

un toboggan ....

tout droit ....

traverser ....

un volcan ....

Unité 3

abîmé(e) ....

adorer ....

aimer ....

ajouter ....

à mon avis ....

avoir horreur de ....

beaucoup ....

la boisson ....

une boîte ....

un bouquet ....

une carotte ....

le chocolat ....

considérer (que) ....

couper ....

d'abord ....

un déchet ....

défraîchis ....

délicieux ....

détester ....

donner son avis ....

enfin ....

enfourner ....

ensuite ....

étaler ....

la farine ....

le gâchis ....

le gaspillage ....

le gaspillage alimentaire ....

gaspiller .... le

gingembre ....

le gramme (g) ....

les ingrédients de base ....

jeter ....

un jus de fruit ....

le kilo (kg) ....

le lait ....

le litre (l) ....

une lutte ....

mauvais ....

mélanger ....

mettre ....

monter ....

un œuf ....

parler (de) ....

penser (que) ....

politique ....

une pomme ....

pour finir ....

pour moi, ...

puis ....

la quantité ....

rassis ....

réaliser une recette ....

un reste ....

rouler ....

un sac ....

selon moi, ...

séparer ....

le sucre ....

verser ....

Unité 4

les activités ....

après ....

après-demain ....

avant ....

le basket ....

la bibliothèque ....

le BMX ....

le bowling ....

ça te dirait ? ....

le cinéma ....

dans une semaine, ...

demain ....

de temps en temps ....

(Une) fois par semaine / par jour... ....

....

le football (le foot) ....

la fréquence ....

le futur ....

le handball (le hand) ....

jamais ....

le lundi, le mardi, ...

la musique ....

parfois ....

pendant les vacances ....

samedi prochain ....

tu pourrais, on pourrait ....

proposer ....

quelquefois ....

rarement ....

la répétition ....

le roller ....

la semaine ....

le skate ....

souvent ....

le tennis ....

toujours ....

tous les jours ....

le week-end ....

Unité 5

l'actualité ....

alors ....

l'angoisse ....

avoir confiance en soi ....

avoir peur ....

une catastrophe naturelle ....

....

la chronologie ....

le concours ....

content(e) ....

culturel ....

un cyclone ....

dévaster ....

donc ....

un fait divers ....

fier/fière ....

le/la finaliste ....

une information ....

s'informer ....

une inondation ....

inquiet/inquiète ....

l'intérêt ....

international ....

l'invention ....

le journal (les journaux) ....

le journal télévisé ....

les médias ....

organiser ....

participer à un concours ....

la peur ....

une pluie intense ....

la politique ....

la radio ....

rassembler ....

un récit ....

regarder ....

être représenté (par) ....

les réseaux sociaux ....

les sentiments ....

un(e) sinistré(e) ....

le sport ....

stressé(e) ....

la télévision (la télé) ....

une tempête terrible ....

terrifié (être terrifié/e) ....

tout d'abord ....

le trac ....

le vainqueur ....

le vent ....

violent ....

Unité 6

s'adapter ....

autonome ....

un(e) avocat(e) ....

avoir bon/mauvais goût ....

avoir l'air ....

avoir l'air (in)confortable ....

le baccalauréat / le bac ....

un boulanger / une boulangère ....
....

un coiffeur/ une coiffeuse ....
....

les compétences..

conseiller (de) ....

être curieux/se (de) ....

le désintérêt ....

devoir ....

tu devrais ....

une école préparatoire ....
....

l'empathie ....

encourager ....

une équipe ....

être/ne pas être à l'aise ....

être à l'écoute ....

étudier / faire des études ....
....

une filière ....

un(e) fleuriste ....

flexible ....

fonce ! ....

garder son sang froid ....

un infirmier / une infirmière ....
....

intégrer ....

l'intérêt ....

intéresser ....

le métier d'avocat m'intéresse... ....
....

rien ne m'intéresse ....

une licence ....

un lycée ....

un médecin ....

un métier ....

s'orienter ....

un parcours ....

parler une langue étrangère ....
....

la passion ....

passionné ....

la patience ....

patient(e) ....

plaire ....

rien ne me plaît ....

présentable ....

professionnelle ....

les qualités ....

se réorienter ....

si j'étais toi ....
....

être sûr (j'en suis sûr !) ....
....

ça m'a tenté (de) ....

une tenue vestimentaire ....
....

travailler ....

travailler en équipe ....

trouver ça intéressant (de) ....
....

vas-y ! ....

tu vas y arriver ....

il vaudrait mieux ....

Numéro de projet : 10232639
Imprimé en janvier 2018 sur les presses de La Tipografica Varese Srl - Varese - Italie
Dépôt légal : janvier 2018